Dis-moi qu'y fait beau, Méo!

Photos de la couverture et de l'intérieur :
  Hélène Brodeur

Maquette de la couverture : Jacques Léveillé

ISBN 2-7609-0119-X

Imprimé au Canada

Jacqueline
Barrette

Dis-moi qu'y fait beau, Méo!

LEMÉAC

À mes neveux chéris :
Julien, Félix et Jacinthe.

CRÉATION ET DISTRIBUTION

Dis-moi qu'y fait beau, Méo! a été créée le 26 septembre 1974 au Patriote-en-Haut.

Comédiens

Michèle Deslauriers
Jocelyne Goyette
Jacqueline Barrette
André Cartier
Guy Tay
Richard Barrette
et Monsieur Guy Godin

Musique : Mario Bruneau

Musiciens

Mario Bruneau
Jean Bernier
Denis Larochelle
Jacques Roy
Yolande Parent

Décor : Guy Tay
Costumes : Denise Robert

Éclairages : Marcel Boutin

Régie : Martin Coradi

Photos et affiches : François Breton et Luc Bourbonnais

Publicité : André Martineau

Jacqueline BARRETTE est née à Montréal, le 1ᵉʳ juillet 1947. Elle ⌐ passé son enfance et son adolescence à l'Île Perrot. Dès l'âge de treize ans, elle s'intéresse au théâtre amateur (Théâtre de l'Île Perrot).

À la demande de sa sœur Louise, elle écrira ses premières pièces de théâtre : *L'après-midi littéraire* et *Le rêve d'un mort* en 1967, puis en 1968, *Noël chez Réjeanne*, en 1969, *Je me souviens, je souffre* et *Que reste-t-il de vos amours ?*, qui seront interprétées par les étudiantes de la Cité des jeunes de Vaudreuil.

Elle fut remarquée, en 1970, au Festival de l'ACTA (AQJT) avec sa revue théâtrale *Ça dit quessa dire*. À la suite de ce succès fracassant, elle quittera l'enseignement quelques mois plus tard pour se consacrer entièrement à l'écriture et à l'interprétation de ses pièces et monologues.

Depuis 1970, Jacqueline Barrette a écrit pour :

> Le théâtre
>
> *Oh ! Gerry Oh !* (1972)
> *Flatte ta bédaine, Éphrème* (1973)
> *Bonne fête, papa* (1973)

Dis-moi qu'y fait beau, Méo   (1974)
Heureux celui qui meurt de rire   (1976)
Les Nerfs à l'air (co-auteur)   (1976)

La radio

Pauline et Édouard   (1973-74)
dans le cadre de « Feu Vert », Radio-Canada.

La télévision   séries pour enfants, Radio-Canada

Clark — Coco Soleil   (1971-72-73)
Minute Moumoute   (1972-73-74-75)
You Hou   (1973-74-75-76)
La Fricassée   (1975)
Pop Citrouille   (1979-80...)

Les variétés   spectacles de Jean-Guy Moreau

Tabaslak   (1975)
*Mon cher René, c'est
à ton tour*   (1976)

spectacles de Dominique Michel

*Showtime, Dominique, Showtime (1978)
Ben voyons donc!*

Le show des femmes sur le Mont-Royal,
à la Saint-Jean-Baptiste (1975):
Ça s'pourrait-tu?

Jacqueline Barrette a également fait de nombreuses apparitions comme monologuiste à des émissions de variétés et d'informations.

DIS-MOI QU'Y FAIT BEAU, MÉO!

PREMIÈRE PARTIE

CHANSON D'OUVERTURE

Tous
Soliste: Michèle Deslauriers

LA PRISON

Michèle Deslauriers
Guy Tay

AU NOM DU PÈRE

Richard Barrette

EN ATTENDANT NORMAND

Michèle Deslauriers . . . . .nièce
Jocelyne Goyette . . . . .tante

POLÉON, LE RÉVOLTÉ

André Cartier ou Guy Godin

RAYMOND ET GISÈLE

Jacqueline Barrette
Guy Tay

DIS-MOI QU'Y FAIT BEAU

*Avant le lever de rideau la musique se fait en-
tendre puis s'estompe pour laisser entendre le
bruit des claquettes de la soliste qui entre, épa-
nouie et heureuse.*

Soliste

Dis-moi qu'y fait beau,
Dis-moi qu'y fait chaud,
Dis-moi d'pas m'en faire.
La vie vaut la peine d'être vécue.

(*Elle chante sans musique.*)

Dis-moi qu'y fait beau,
Dis-moi qu'y fait chaud,
Dis-moi d'pas m'en faire.
La vie vaut la peine d'être vécue.

*La musique recommence. La soliste se remet à
chanter pendant que les autres entrent à la file
indienne.*

Soliste
Dis-moi qu'y fait beau!

Chœur
Y mouille, y mouille.

Soliste
Dis-moi qu'y fait chaud!

Chœur
Trente sous zéro...

Soliste
Dis-moi d'pas m'en faire!

Chœur
Pogne pas les nerfs!

Soliste
La vie vaut la peine d'être vécue.

Chœur
Mon œil...

Un
Mon cul...

COUPLET I

Soliste
J'ai une conscience universelle,

Chœur
La picotte, la gratelle...

Soliste
J'aime mon prochain et puis je m'aime,

Chœur
La rougeole, la gangrène...

Soliste
Je pratique la tolérance,

Chœur
Mal de cœur, mal de ventre...

Soliste
Je suis citoyenne d'la planète.

Chœur
Comme les débiles et les tapettes.

REFRAIN

Soliste
Dis-moi qu'y fait beau,

Chœur
Y mouille, y mouille.

Soliste
Dis-moi qu'y fait chaud,

Chœur
Trente sous zéro...

Soliste
Dis-moi d'pas m'en faire,

Chœur

Pogne pas les nerfs !

Soliste

La vie vaut la peine d'être vécue.

Chœur

Mon œil...

Un

Mon cul...

COUPLET II

Soliste

Vive l'amour avec le grand A

Chœur

Ah, Ah... Ah, Ah, Ah, Ah !

Soliste

L'amour d'un homme et d'une femme.

Chœur

Sha ba da ba da, Sha ba da ba da.

Soliste

L'amour de mes frères exploités.

Chœur

Johnny syndiqué t'a piquée !

Soliste

Je suis une grande pacifiste.

Chœur
Moé, j'me gratte quand ça m'pique!

REFRAIN (*plus rapide*)

Soliste
Dis-moi qu'y fait beau,

Chœur
Y mouille, y mouille...

Soliste
Dis-moi qu'y fait chaud,

Chœur
Trente sous zéro...

Soliste
Dis-moi d'pas m'en faire,

Chœur
Pogne pas les nerfs!

Soliste
La vie vaut la peine d'être vécue.

Chœur
Mon œil,

Un
Mon cul!

COUPLET III

Soliste
J'assume ma sexualité,

Chœur
La « noune », la « zoune » cachées...

Soliste
J'ai le corps et l'âme en santé,

Chœur
La névrose et l'acnée...

Soliste
J'aspire à la sérénité,

Chœur
J'mets du ''pot'' dans mon café...

Soliste
Je suis citoyenne d'la planète.

Chœur
Comme Marcuse et Caouette.

REFRAIN FINAL

Soliste
Dites-moi qu'j'ai raison,

Chœur
Les concombres, les cornichons...

Soliste
Dites-moi qu'c'est l'printemps,

Chœur
Attends, attends...

Soliste
Dites-moi qu'j'ai compris,

Chœur
Pepsi, Pepsi...

(*Le chœur mime les paroles de la soliste.*)

Soliste
Fais comme l'oiseau,
Ça vit d'air pur et d'eau fraîche,
Un oiseau...
Laissez, laissez entrer le soleil
Laissez entrer...
Ouvre ton cœur à la parole...
C'est dans la tête qu'on est beau...
C'est dans la tête qu'on est beau...
Dites-moi la vérité,
Dites-moi n'importe quoi,
Dites-moi n'importe quoi,
Que je puisse m'y accrocher.

Chœur
Beau temps pour laver,
Beau temps pour la vérité.
Beau temps pour laver,
Beau temps pour la vérité.

LA PRISON

Simone entre en poussant son mari tremblotant dans une chaise roulante.

Simone

Bonsoir, ça m'fait plaisir d'avoir été invitée à la réunion du club des «aptimisses avertis» pour vous parler de mon aptimisse et d'mon mari. Je sais que vous avez entendu bien des cas d'aptimisse, mais à la demande de not' président et à l'occasion de mon vingtième anniversaire comme membre active du club des aptimisses, je vous présente le mien.

Mon mari s'appelle Léo. Les enfants, quand y étaient plus p'tits, appelaient leu' père: «Léo penché», passe qu'y a une tendance du côté droit. C'est vous dire, qu'j'ai jamais empêché les enfants d'rire, même quand l'malheur s'est écrasé su'a maison; ça va faire vingt ans le premier avril.

J'ai soixante ans faites. Mon mari en a

cinquante-neuf. Si y paraît plus vieux que moé, c'est la maladie. C't homme-là, tel que vous l'voyez, m'est tombé dans 'é bras, paralysé, un mercredi matin du premier avril à dix heures exactement. Le docteur m'a dit qu'c'était un caillot qu'y a monté à 'a tête.

J'ai pris ma croix, mes cinq enfants, pis le sourire qu'vous m'voyez actuellement et j'ai monté mon calvaire. C't homme-là, d'après l'docteur, a tous ses esprits, même si y en donne pas l'air. Y a figé comme du sucre à crème trop brassé. Depuis c'temps-là que j'le lave, que j'le change, que j'le peigne, que j'le fais manger, qu'j'y parle pour y changer les idées noires. C't homme-là a toujours eu les idées noires, c't un homme trisse de nature. J'me dis que c't homme-là doit souffrir un enfer en d'dans. C't une prison ça, vous savez, encarcanné dans sa propre carapace. Y a rien qui sort, excepté, m'as dire comme on dit, les déchets naturels.

Les enfants un coup plus vieux, m'ont dit d'le placer. J'ai gardé mon sourire d'aptimisse pis j'leur ai dit: «Les enfants, non! Vot'père, c'est vot'père, pis par la même occasion mon mari jusqu'à c'que mort s'ensuive, pour le meilleur et pour le pire.» Les enfants m'ont dit: «T'es une sainte, maman!» J'ai pas répondu.

Le renfarmer, quand le seul désennuiement qu'y a c'est d'm'entende jaser, pis conter des histoires, pis toute? Non, non, non! Chers aptimisses avertis : « Le sourire est le bouclier du désespoir ! » Y en ont des bonnes dans l'Sélection des fois, hein ?

J'dis pas qu'j'ai pas eu mes p'tits moments d'découragement. Quand je l'rasais pis que j'étais fatiguée, quand j'préparais sa bouillie pis j'étais fatiguée, quand j'allais le promener au bord du lac pis que j'étais fatiguée, des p'tits moments d'désespoir, des idées qui duraient des fractions d'seconde. J'aime autant pas vous dire quoi, parce que c'est fini à c't'heure.

À c't'heure qu'les enfants sont mariés, prende soin d'Léo, ça m'donne une raison d'vivre, d'aimer la vie avec le sourire, me sentir utile, sentir que j'fais du bien à une personne : toujours avec le sourire que vous me voyez fendu d'hier à d'main pis qui m'est resté collé en pleine face, depuis l'épreuve qui m'a frappée en pleine face aussi.

Y a des choses, chers aptimisses avertis, des choses ! Une chose, qu'j'ai portée tu'seule, sans jamais la confier à personne, surtout pas aux enfants. Cette chose, qui m'donne encore plusse de mérites à mes yeux personnels et à vos yeux aussi, puisque j'ai décidé de vous la confier, en l'honneur de mon vingtième anniversaire comme membre active. Cette chose qui m'rend presque martyre à mes propres yeux et à vos yeux j'espère également.

Cette chose, y a personne qui l'sait. Y avait personne à maison quand c'est arrivé... excusez-moé, c'est dur d'en parler. Voici : c't homme-là est tombé paralysé un mercredi matin du premier avril à dix heures, après une grosse colère, une grosse crise de nerfs. J'm'en rappelle comme si ça s'passait tu'suite.

Changement d'éclairage pour marquer le retour en arrière, qui est joué par les deux personnages.

Léo

Quelle heure qu'y est, pis où c'est qu't'as mis mes bas drab avec une rayure brune ?

Simone

Y est dix heures moins cinq, pis tes bas sont au lavage, mon 'tit homme.

Léo

R'marque ben l'heure Simone, c't à matin qu'ton 'tit homme s'déboutonne ! Écoute ben ça, Simone. J'haïs ta voix, ta peignure, tes bas d'cachemire, ton doster fuchsia ! Ch'sus pus capabe d'te r'garder, surtout quand t'ôtes tes dentiers. J'te trouve épaisse quand tu m'parles de tarte au citron pis d'rideaux d'salon ! T'as l'cerveau d'un s'rin pis l'ventre d'un crapet ! Ça m'ronge les esprits d'te voir faire tes mots mystères, d't'entendre chanter *Ô Régina*, d'te voir lire tes romans d'amour en couleurs, quand ça fait un an que j'te touche pus, pis qu'tu t'en plains pas. J'en peux pus d'vive à côté d'un crapet d'cent vingt livres de suif fret pis jaune comme un «*popsicle*» aux bananes, qui a la cervelle grande comme la main d'un nain d'quatre ans. Toute c'qu'on peut mette dedans, c'est quèques recettes pis quèques

27

points d'crochet, le reste c'est d'l'instinct maternel. J'en peux pus, ciboère! Toute c'que j'demande au bon Dieu, c'est de pus te voir la face, de pus entende ta voix d'vieille fille «rassie», de pus m'laisser changer d'couche par une femme qui m'appelle son p'tit homme pis son bébé gâté. J'm'en vas, Simone! J'saute la clôture, j'sors de prison. Ça fait quinze ans qu'en rêve, j'prends l'bateau, le train, l'avion, l'radeau pis que j'pars, loin d'ma Simone à barbe! Ben là! Simone, r'garde-moé ben, r'garde l'heure qu'y est...

Simone, *en aparté* :

Y était dix heures...

Léo

J'brise les chaînes, si y faut briser les chaînes, moé, j'les briserai pour pus voir Simone. J'accouche, j'débarrasse. Alléluia! Léo s'en va!

Fin du retour en arrière. Léo regagne sa chaise roulante tandis que Simone reprend sa première attitude.

Simone

Y m'est tombé dans 'é bras. Vous pensez qu'après ça, une femme mérite pas d'porter l'titre de martyre? Prendre soin de c'te serpent-là comme d'un poussin pis avec le sourire à part de t'ça! Y doit le r'gretter à c't'heure. Y l'sait ben que si j'voulais, j'le placerais. J'le laisserais tu'seul comme un veau sans sa vache de mère.

À part de t'ça, on est pas aptimisse pour rien

vous savez. J'sais pas si vous avez r'marqué, eu le mot crapet r'vient deux fois dans son discours, pis ça, ça s'est passé le premier avril. Des fois j'me dis : « Ça serait-tu qu'mon 'tit homme me faisait courir le poisson d'avril ? » Ça s'peut ça aussi ! Merci d'm'avoir écoutée, chers aptimisses avertis. J'vous d'manderais une bonne main pour Léo, y a mérite. Merci !

AU NOM DU PÈRE

Le père est assis dans un salon et fixe le chandail fleurdelisé de son fils, posé sur le dossier d'un fauteuil.

J'écoutais 'a télévision. J'faisais semblant d'écouter 'a télévision, mais tu l'savais en maudit... hein Bernard? que j'vous entendais gueuler: toé pis tes deux chums Malouin pis Castonguay; pis vos blondes? Papineau d'vait se r'virer dans sa tombe! Une poignée d'patriotes en jeans, qui parle d'leu' pays comme si c'tait d'la vie d'un homme, qui mélange la langue, la race, la morale avec le sang! J'vous entendais ma gang de pur-sang, ma gang de ch'vaux sauvages, ruer dans les brancards, partir à l'épouvante en jouant les Sherlock Holmes, pis donner l'résultat d'vos enquêtes; ma gang de détectives amateurs qui veulent sortir le pays d'la noirceur!

Pis j'vous entendais dire qu'les vieux partis sentent l'hypocrisie, la honte pis l'moisi, qu'la politique

dans not' pays, c't une grande *swamp* pleine de cou-
leuvres pis d'crapauds qui vous fait l'ver l'cœur, pis
que c'est le temps du grand nettoyage, du grand sy-
monage, pis que vous êtes prêts à toute pour le
grand lavement, pour le grand changement, parce
que vot' parti à vous aut' sent l'parfum des inno-
cents, pis qu'tou'é militants sont purs et chastes
comme des p'tits enfants... Ça s'peut ça, ça s'peut-
tu?

Mais Bernard, chrisse, ton pôpa avait 'a chienne
en vous écoutant, en écoutant le procès du saint
homme politique martyr qui, d'après vous autres,
jouait à tague avec *The Godfather*! Pis ta blonde qui
parlait d'sa douleur pis d'sa rage, d'la sainte colère
qu'a' avait faite au *Fairview* en cherchant un commis
qu'arait baragouiné l'français, parce qu'a' voulait des
rideaux d'douche en français. Pis, que ça y faisait
donc mal à couenne de Québécois. Pis mon aut'
racketeer, tricheur, qui se r'présentait pis qu'y ache-
tait l'bon cœur d'ses électeurs, après leu' avoir chié
su'l cœur, justement. Vous mâchiez pas vos mots
pour faire le procès d'ces gars-là! Pis j'sentais le
rouge me monter dans l'cou tandis qu'Yoland Gué-
rard me chantait d'l'opéra!

Pis quand vous êtes arrivés au procès du p'tit
peup' cave qui donnait leu' bénédiction à ces gars-là
aux élections, vous avez pas ménagé vos mots non
plus! On est plus rien que des porteurs d'eau, on
était des porteurs de bière, on était pus un peup' fier,
on était un peup' chieux, engourdi, épais, niaiseux,
qui aime à s'faire arracher sa fierté pis à faire salir sa

terre, parce qu'ça y faisait des indulgences plénières! Un peup' tenu en silence pis en confiance, qui connaissait pas son histoire, qui pouvait pas s'rappeler d'Chénier, parce qu'on y en avait jamais parlé. J'me sus pas renseigné su' Chénier, ça doit être un aut' traître qu'vous voulez démolir j'suppose! Tu parlais d'la trich'rie qu'y a eu aux élections, en exagérant comme de raison, faut pas voir le mal partout Bernard, chrisse, toé qui dis qu'on peut même pas se faire confiance ent' nous aut', toé qui dis qu'le dieu des Canayens franças c'est le blôke parce que c'est lui qui nous tord le bras jusqu'à temps qu'on aye pus d'jus, pis qu'ça fait not' affaire d'se sentir secs pis tout nus.

Pis tu penses que j't'ai pas entendu, quand t'as parlé d'moé, quand t'as dit qu'j'lichais l'cul d'mon grand patron anglais pour qu'y donne une job à mon fiston? Pis que ta mère faisait l'ménage chez les Anglaises pis qu'y avait pas meilleure disciple pour vanter les mérites d'ces femmes-là, qu'a' les aimait donc parce qu'y donnaient du linge, qu'a' s'tuait l'âme à l'ouvrage pour qu'y donnent des peanuts comme à un singe? Tu m'as fait d'la peine, Bernard, chrisse. Qui c'est, qu'tu penses qui m'donne ma paye depuis vingt ans? Vous aut' les jeunes, vous savez pas c'que c'est d'ête reconnaissant.

Pis quand vous écoutiez le monde qui appelle aux hot-lines, à radio, vous aviez honte d'vot' peup' qui marche à grands coups d'violence de mots coupants comme un couteau, mais qu'nous aut', on pense qu'c'est du gâteau; que dans ses chansons,

Vigneault nous met ben qu'trop beau, que Ti-Cul La-
chance c'est l'exception, pis l'eau a pas fini d'couler
avant qu'y d'vienne la majorité, pis qu'des fois,
t'avais l'goût d'aller mette quèques bombes dans son
grenier, pour l'aider à évoluer, la majorité! Tu m'as
faite encore plus peur, Bernard... chrisse, que j'avais
peur! Bernard, Bernard, j'aime ben mon pays, mais
pas jusqu'à y sacrifier 'a vie d'un d'mes p'tits... Wô!
J'avais envie de t'crier: «Pour qui c'est qu'tu
t'prends? Castro?» T'en as encôre à apprende, mon
p'tit, s'tu penses que c'est à coups d'explosions qu'tu
vas changer l'âme d'monsieur Tout-l'Monde pis
d'madame Chose! T'oublies qu'ton père, c't un vété-
ran, pis qu'y sait ben qu'trop qu'ça marque
longtemps, une baillonnette tachée d'sang. Ton père
a faite la guerre, Bernard, chrisse; dans 'a vraie vie,
pas dans les *comics*. Ton père, y a appelé sa mère,
au fond d'une tranchée. Ton père a laissé son patrio-
tisme, son courage, sa couleur pis un peu d'son
coco, au fond d'une tranchée d'bouette! Pis quand
j'vous entends parler d'bombes pis d'fusils, vous
voyez d'la délivrance pis vous entendez des chansons d'liberté, vous voyez un peup' briser ses chaînes, vous vous voyez en soldats fiers et décorés, tu
m'donnes le goût d'te parler d'la marde pis du pipi
qui coulaient l'long d'mes souliers, quand j'tuais des
jeunes Allemands aussi vendus qu'moé à cause d'la
liberté. Qu'j'ai donc eu peur, Bernard, quand ta gang
pis toé vous avez dit: «Des fois c't à s'demander si
c'est pas rien qu'les fusils qui les f'raient s'déniai-
ser!» Gang de jeunesses à fleur de lys pis à fleur de
peau qui voudraient cacher tous ceux qui sont morts
avec un drapeau! Si jamais le drapeau s'tachait

33

d'sang, Bernard! j'me torch'rai avec pis j'te mettrai l'nez d'dans, sacrament!

Pis tu disais qu'si ç'arrivait, la guerre civile, c'est parce qu'le peup' vous arait pas montré qu'y comprenait, qu'y comprenait pas qu'on s'fait fourrer depuis cent ans, qu'y faut qu'on arrête de dire marci, quand on nous brûle les yeux pis qu'on nous arrache la langue, pis qu'c'est rien qu'en votant du bon bord qu'le peup' empêcherait vot' patience d'tourner à violence. J'te comprends, Bernard. J'te comprends. Je l'sais pis j'te comprends, mais j'voudrais donc qu'tu soyes patient. Pis quand ton chum Castonguay m'a lâché un cri dans l'salon, pis qu'y m'a dit: «La prochaine fois, m'sieur Tremblay, su' quel bord vous allez voter?» J'étais pogné, pis toute c'que j'ai trouvé à dire c'est: «Comme toé, Castonguay, comme toé.» Pis là, Bernard, tu m'as r'gardé comme si enfin l'yâbe pis l'bon 'ieu s'taient rapprochés, pis t'as dit à ta gang: «J'arais jamais pensé qu'un jour le bonhomme s'rait du même bord que moé!» Pis parce que t'étais paqueté, t'es v'nu m'embrasser. Chrisse, Bernard, qu'j'étais gêné... Parce qu'tu sais pas, Bernard, mais j'vas voter cont' toé. J'vas voter cont' toé, pour te protéger.

Parce que vous êtes trop une grosse gang à c't'heure, c'est ben d'valeur. J'voudrais pas t'faire peur, mais c'est rendu trop loin. La prochaine fois, y vont vous barrer l'chemin. Vous êtes mieux d'ête solides pis d'ête prêts à toute, parce qu'y va s'passer des affaires qui vont vous donner l'goût d'la guerre. Ça s'ra pus jusse des p'tites trich'ries d'élections, tu vas voir que c'est qui arrive quand l'pôpa veut toujours avoir raison. Y vont t'envoyer le Père, le Fils pis l'Saint-Esprit au nom d'l'unité d'la nation. C'est là qu'on va voir si' a police va jouer l'jeu d'la démocratie ou ben si a' va monter su' ses grands ch'vaux pour nous apprende que pour bâtir un pays, faut savoir compter jusqu'à dix. J'vas voter cont' toé, pis ben d'aut' comme moé, qui l'savent ou qui s'en doutent, même qu'y en a qui vont voter cont' toé parce qu'y connaissent l'histoire pis qu'y savent qu'même au nom d'la démocratie, le gros a toujours mangé le p'tit.

Si j'te disais ça, tu m'cracherais en plein visage. Ma jeunesse est partie avec mon courage, j'veux jusse ête tranquille, tranquille tout nu, tranquille esclave mais tranquille; comme quand au fond d'ma tranchée, j'rêvais d'une île... «*An old soldier never dies but gently fades away.*» Vous gagnerez jamais, Bernard, chrisse! Pis j'espère qu'après ça, t'auras soif d'une bière, mais qu'jamais t'auras soif de sang.

Mais j'me d'mande encôre comment ça s'fait que dans c'te race de Canayens franças sacrant pis giguant, y sort encôre des enfants géants, c'te race qui aboutit après tant d'coups d'couteau dans l'cerveau. Pis j'vous r'gardais l'aut' soir, pis j'me disais en moé-même: «Que c'est qui vous a donné c'te goût d'vous garder fiers pis indépendants, comment ça s'fait qu'y a encore d'l'espoir qui coule dans vot' sang, quand vos plus grands traîtres ont toujours été vos ancêtres, mais qu'y a toujours suffit d'quèqu'exceptions pour vous faire crier: «Québec français»,

«Québec libre», «Québec propre», «Québec beau comme une jeunesse à fleur de peau». Pour moé, Bernard, ête libre c'est d'ête assis dans l'salon avec une bière d'vant 'a télévision, pour toé: ête libre c'est porter l'drapeau su' ton chandail pis crier à tue-tête que l'Québec, c'est quèque chose à personne d'aut' qu'à toute c'te gang de monde qui pleure en écoutant Félix Leclerc, Charlebois pis Vigneault. Y vous laisseront pas faire, Bernard, j'serai l'premier d'l'histoire à avoir été pessimiste. Pis j'vous r'gardais l'aut' soir, ma poignée d'hommes pis de p'tites femmes à parler d'l'eu' pays comme on parle de sa mère, pis ça m'faisait mal en calvaire. Fils de morts qui pètent le feu! «*I'm the frog, you're the prince.*»

Le père prend le chandail et le serre dans ses bras.

Pis j'me d'mande encôre comment ça s'fait qu'c'te grande princesse de Québec me tape encôre su'a conscience avec sa baguette pour m'changer en... Bernard, Bernard, Bernard, promets à ton papa, quand t'auras un goût d'sang dans 'a bouche, tu vas v'nir prende une bière avec ton père. Bernard, Bernard, chrisse! J'ai peur.

EN ATTENDANT NORMAND

La tante et la nièce entrent. Elles s'assoient sur les deux berceuses placées sur la galerie. La nièce a un galet dans une main.

Tante

Ah, qu'ça va faire du bien d's'asseoir une escousse, hein?

La nièce constate qu'il fait froid.

Nièce

Aye, c'est moins chaud que j'pensais. J'pense que j'vas mette ma veste. Ma tante, voulez-vous qu'j'aille vous en chercher une?

Tante

Non marci, ch'sus pas frileuse, pas frileuse pour une cenne, ni en d'dans ni en dehors!

Nièce

Que c'est qu'y fait donc, Jacques? Y m'avait dit

qu'y viendrait m'chercher avant neuf heures. (*Elle regarde sa montre.*) Y est neuf heures et dix passé. Ah, les hommes! (*Elles rient.*)

Tante

Pauv' p'tite fille, si t'es pas capabe d'attende ton homme avant d'ête mariée, tu vas trouver ça dur après. T'es mieux d'commencer tu' suite à t'habituer.

Nièce

Surtout qu'y vient d'ouvrir son magasin, là, je l'vois presque pus, c'est pas mêlant!

Tante

S'tu travaillais au magasin, tu l'verrais souvent.

Nièce

Jacques veut pas. Y a pas les idées trop modernes là-d'sus. Y dit: «On s'marie dans un mois, ch'sus capabe d'faire vivre ma p'tite femme! Pis j'ai comme principe qu'ma p'tite femme va s'occuper d'ma p'tite maison, pis les tracas d'la business, j'me sens assez solide pour les prendre tu' seul». Pis m'as vous dire quèque chose, ma tante Germaine, ça fait ben mon affaire qu'y pense de même. Faut croire qu'j'ai les idées démodées moé 'tou!

Elles rient à l'unisson. Leurs rires chutent en même temps.

Tante

Pauv' p'tite fille, tu vas avoir autant d'tracas à maison que lui va en avoir au magasin, surtout quand tu vas élever une famille!

Nièce

Oui, mais c'est pas 'a même chose...

Tante

Çartain, ma catin! Mais faut qu'tu fasses selon ses goûts. On aura beau dire, un homme aime pas qu'sa femme travaille, surtout quand les enfants sont jeunes. Ah, quand y manque d'argent, c't une aut' paire de manches, mais quand un homme peut faire vivre sa femme, y aime pas ça la voir s'émoustiller en dehors pis s'émanciper en d'dans! Les hommes sont des grands enfants ben orgueilleux, t'sais.

Nièce

Ah, je l'sais, des bébés! Pis le pire, c'est qu'on les gâte!

Tante

On gâte jamais assez quelqu'un qu'on aime. (*Elle chante* :) « Un cœur de femme... »

Nièce

« C'est un oiseau léger... »

Tante

C'est pas un oiseau léger, c'est gros pis tendre comme un éléphant rose. (*Elles rient en chœur.*)

Nièce

Ah, ma tante, je l'aime assez! J'ai jamais été si heureuse de ma vie! C'est comme si j'm'appartenais pus, me sembe que c't une chose qui peut arriver rien qu'une fois dans ma vie.

Tante

C't un bon signe ça! J'te comprends donc!

Nièce

Ah, je l'sais ma tante, avec vous, me sembe que j'peux dire toute c'que j'pense, parce que m'as vous dire franchement ma tante: j'vous r'garde là, pis vous avez l'visage d'une femme qui est encôre en amour! Ça fait du bien à voir, quand partout dans les lives pis aux vues on nous parle de divorce pis d'sé-paration. Ben, j'me dis, si Jacques pis moé, après douze ans d'mariage, ça reste aussi beau que vous pis mon oncle, ben j'pense qu'j'écrirais un live pour dire qu'l'amour parfait, ça existe.

Tante

Charches-tu à m'faire pleurer; ma p'tite bon-jour?

Nièce

Non mais, vous voyez pas vous, vot' façon d'parler aux enfants pis d'leur sourire, pis quand vous parlez d'mon oncle, faudrait avoir les yeux bouchés pour pas s'apercevoir qu'vous êtes encôre en amour comme au premier jour...

Tante, *protestant vivement*

Arrête-moé ça, voyons!

Nièce

Montrez-moé-z-en des femmes de trente-sept ans, amoureuse comme au premier jour, j'en ai trop connues qui m'ont dit marie-toé pas. Quin, la belle-sœur de Jacques a dit: «T'es donc pressée, ma p'tite fille, d'parde ta liberté»; a dit: «Moé, si c'tait à r'faire...» J'ai dit: «Si t'es si malheureuse, Anita, pourquoi tu divorces pas?» A' dit: «C'est ben plus facile d's'attacher que d'se détacher.»

Tante

A' avait pas d'affaire à dire ça, c'est pas parce qu'une parsonne voit pus l'soleil depuis un bout d'temps que ça y donne raison d'dire au monde que l'soleil existe pas.

Nièce

Ben, c'est ça. Je l'sais qu'ça peut pas toujours ête rose la vie à deux... mais quand on s'aime, on passe au travers.

Tante

Pis c'est d'même qu'l'amour grandit encore plusse! Quand tu m'dis qu'j'ai l'air en amour comme au premier jour, ben j'pourrais t'dire: «encôre plusse!». (*Elle rit.*) Mais c'est pas toujours facile, hein? Pis ça prend d'la générosité.

Nièce

C'est sa plus belle qualité à Jacques, la générosité...

Tante

Ouan, mais faut qu'tu comprennes tu' suite qu'une générosité d'homme c'est pas comme une générosité d'femme. Un homme est plus impatient, plus orgueilleux, plus renfarmé. Un homme est surtout ben généreux dans son travail, un homme qui s'ambitionne j'parle, son travail est ben important pour lui. Même que des fois, y en oublie d'prende soin de toé. (*Elle rit.*) Un homme est aussi généreux qu'une femme, mais pas d'la même manière. Y est fier de t'apporter sa paye, pis y pense pas que toé, t'as jamais d'mandé à ête payée pour ton ouvrage. Y pense qu'y t'fait un cadeau, ben monte-z-y qu'son

41

cadeau t'fait plaisir. (*Elles rient.*) Faut qu'tu flattes son orgueil, c'est ben important, hein?

Nièce

C'est vrai ça, hein?

Tante

Les hommes sont d'même. Pis en r'tour, ben nous aut' aussi, on a nos p'tits caprices. Un homme intelligent sait qu'un bec dans l'cou, un bouquet d'fleurs, une tape su'une fesse, ça efface ben des bobos. (*Elles rient.*)

Nièce

N'empêche que c'est vrai, qu'nous aut', c'est les p'tits détails. (*Elles rient.*)

Tante

J'ai jamais été la femme à m'plaindre d'ma besogne pis des enfants. J'y ai jamais cassé les oreilles avec toutes les nuits que j'ai passées à barcer les p'tits. J'ai jamais été le genre de femme à l'pousser dans l'lit pour qu'y s'lève lui 'tou, pis qu'y fasse sa part. Même que j'tais toujours mal quand un p'tit braillait, j'avais peur qu'ça l'réveille. J'ai jamais compté les planchers qu'j'ai lavés pis cirés, pis les r'pas qu'j'ai préparés, pis les soirs passés tu' seule à l'attende parce qu'y travaillait. Ch'sus loin d'ête d'la race des femmes frustrées, moé! J'ai jamais t'nu compte de c'que j'donnais. Parle moé pas des *women lib'* qu'auraient l'courage de puncher leu' carte quand y rentent dans leu' cuisine.

Nièce

Gang de folles! Ces femmes-là ont jamais aimé comme une femme peut aimer!

Tante

C'est des gars manqués ça. Mais ton oncle a toujours eu ben l'tour avec moé. J'me souviens des soirs qu'y arrivait tard, pis j'tais fatiguée, j'avais eu du troub' avec les enfants, j'm'étais cassé 'é reins pour qu'en arrivant y trouve la maison propre, pis je l'attendais pour y faire à souper. Ton oncle, y a jamais su s'faire cuire un œuf...

Nièce

Jacques, c'est pareil! (*Elles rient.*)

Tante

Ben là, y arrivait, ben souvent la T.V. était restée allumée, pis j'ronflais étendue su'l' sofa. Ben on arait dit qu'y l'savait qu'j'avais besoin d'ces p'tites attentions qui font tant plaisir à une femme. Y rentrait en m'disant « Allo, pit! » Un bec su' l'front, une belle caresse, des fois un p'tit cadeau; ben moé, c'est pas mêlant ça m'donnait des ailes, j'arais eu l'courage d'laver 'é murs pis 'é plafonds. Ton oncle le savait l'effet qu'ça m'f'rait. Un homme qui connaît 'é femmes, y sait ces affaires-là. J'm'assoyais avec lui, pis y me r'gardait avec un air crasse pis y m'disait: « Pis, pit, as-tu passé une belle journée? » (*Elle rit.*) J'disais oui tout l'temps. (*Elle sourit.*)

Nièce

J'voudrais donc qu'ça soye de même pour moé pis Jacques.

Tante

Faut qu'une femme comprenne son homme. Parce que t'sais, la compréhension pis la sensibilité, c'est plutôt des qualités de femme ça, hein?

43

Nièce

Un homme est sensible, mais y l'monte pas, hein?

Tante

Trop renfarmé, c'est pour ça. Faut qu'une femme s'serve d'son intuition pis qu'a' devine.

Nièce

J'y ai dit à Jacques : « Tu m'aimes, mais tu me l'dis pas souvent, faut toujours que j'te l'demande ! » Y dit : « Tu devrais ben l'savoir après deux ans. » Je l'sais ben qu'y m'aime, mais se l'faire dire, hein, ma tante?

Tante

Ben souvent, y ont 'é mots d'amour d'jammés dans l'ciment. (*Elle rit.*) Mais c'est pas parce qu'y veulent pas. C'est dans leu' nature, que c'est qu'tu veux ! (*Elles rient.*) Essaye donc d't'imaginer un homme chanter des chansons d'amour comme Édith Piaf le faisait?

Nièce

Ça f'rait dur en paparmane ! (*Elles rient.*)

Les deux

Un homme le pense, mais l'dit pas.

Nièce

On fait d'la télépathie j'cré ben !

Tante

D'un aut' côté, quand y t'disent : « J't'aime », y manquent jamais leu's effets ! Nous aut', on leur dit trop souvent, ça doit diminuer l'effet.

Nièce

Y s'laissent désirer...

Tante

Ouan, renfarmés, mais c'est pas plus drôle pour eux aut', hein? R'garde ton oncle, que c'est qu'tu veux; veux, veux pas, une femme est plus souvent avec ses enfants qu'son mari, hein? Ça c'est pas parce qu'y l'veut, mais son travail pis toute, hein?

Nièce

C'est normal.

Tante

Bon, ben, tu vois mon Christian là, y va avoir douze ans ben vite. J'y ai dit à Normand: «Parle-z-y plus souvent Normand, y arrive à un âge où c'est qu'y a besoin d'son père.» Avant cet âge-là, y ont plusse besoin d'leu' mère; ça c'est pas moé qui l'dit, je l'ai lu dans 'é livres. Fait que j'ai dit à Normand: «Va jouer au hockey avec, parle-z-y d'ses classes.» J'ai dit: «Y arrive à un âge où c'est qu'y a besoin d'ête renseigné!» J'y ai dit: «Y est marabout, y a peut-ête des problèmes.» Ben, sais-tu que c'est qu'y m'a répondu?

Nièce

Quoi?

Tante

«Que c'est qu'tu veux qu'j'y dise, Germaine?» Y dit: «Y est correcque, Christian! Aujourd'hui, y n'apprennent plusse dans 'é lives pis par la T.V. qu'par leu' parents!» Bon, pourquoi tu penses qu'y m'a répondu ça? Y sait pas comment approcher son prop' garçon; pourquoi? parce qu'y est trop renfarmé! Comme si y s'sentait étranger. Me sembe qu'y doit en souffrir de ça.

Nièce

Ça doit.

Tante

Pis y est pas tu' seul dans son cas! Y en a ben des hommes qui sont comme lui, ça fait qu'j'ai essayé d'tâter l'terrain moi-même, en parlant à Christian; pas eu moyen d'rien savoir. Y s'en vient renfarmé lui 'tou. Dire qu'à six, sept ans, c'tait mon plus enjoué. Y parlait à n'importe qui, pas gêné, mais y vieillit, que c'est qu'tu veux!

Nièce

Avant longtemps, ça va ête un homme!

Tante

Plus y va, plus y ressembe à Normand.

Nièce

Mais me sembe qu'l'éducation d'nos enfants, on va s'en occuper tou'é deux Jacques pis moé...

Tante, *piquée*

C'est l'idéal, mais des fois que c'est qu'tu veux! Mais t'sais, même si y voyent leu' père moins souvent qu'moé, par conte, quand l'père est là, j'm'arrange pour qu'ça paraisse, par exemple. Pis souvent, quand Normand est pas là, j'leu' parle de lui, pis j'mets ça aussi beau que j'peux, aussi beau que j'pense.

Nièce

C'est vrai qu'on est plus près d'not' mère que d'not' père, hein?

Tante, *éclate de colère*

C'est pas vrai, c'est des idées qu'on se fait ça. C'est des histoires de livres qui disent qu'à mesure qu'les enfants grandissent, le père devient un étranger pour les enfants. C'est pas vrai ça. C'est des histoires pour faire peur aux mères. C'est pas vrai, si une femme est assez forte pour faire le pont ent' son mari pis ses enfants. (*Se radoucissant.*) Ça aussi, Nicole, c'est l'rôle d'une femme, hein? Pis qu'à leur tour, un jour tes enfants f'ront l'pont ent' ton mari pis toé, parce qu'y s'ront la preuve en chair et en os qu'y a déjà eu un grand amour ent' vous deux, pis qu'y en a encôre! (*Elle est bouleversée.*)

Nièce

Les enfants cimentent le mariage. (*Elle pleurniche.*)

Tante

Ouan. (*Elle s'essuie une larme.*)

Nièce

Hé, qu'on est donc sensibe, nous aut' les femmes! Femme, ça peut ben rimer avec larme. (*Elle embrasse sa tante.*) Bon, ben, j'y vas ma tante, j'vas m'en aller tranquillement à pied.

Tante

Si ton oncle était arrivé, y aurait pu aller te r'conduire!

Nièce

Ben non, ça va m'faire du bien, j'vas pouvoir penser à toutes les belles affaires qu'on s'est dit. Si Jacques vient m'chercher, vous y direz qu'y vienne chez nous, même si y est tard.

Tante

O.K.

Nièce

Bonsoir, ma tante!

Tante

Bonsoir.

La nièce sort. La tante observe la chaise qu'occupait sa nièce, s'en approche et, de ses deux mains, lui imprime un mouvement de balancier, rappelant ainsi la présence de la nièce.

Tante

Tu vois comme là, Nicole, ton oncle est pas rentré, hein? C'est pas nouveau. Ton oncle me trompe, Nicole. Ah, je l'sais. Y a une maîtresse, ça j'pourrai l'prouver, j'connais son numéro d'téléphone pis j'sais où c'est qu'a' reste. Ça t'surprend, hein? C'est parce qu't'es jeune. Mais surprends-toé pas, pis juge pas mal ton oncle. Ton oncle, y a quarante ans, c'est l'âge bête, avant c't âge-là y sont enfants, pis à quarante ans y commencent leur adolescence. Une vraie femme comprend ça. Y est à l'âge où c'est qu'y fait des bêtises pis y s'en aperçoit pas. Y s'prend pour le prince charmant, pis y s'est trouvé une p'tite princesse, une p'tite maudite salope de profiteuse, une p'tite gouine qui a probablement pas eu d'père pour la barcer, pis qui s'sert de Normand. Prends pas ça mal. Nicole. J'ai pas peur, moé! (*Elle regarde la chaise et arrête de la bouger.*) Ch'sus sûre de moé! Ch'sus sûre qu'y va me r'venir, comprends-tu, ma Nicole? Y va me r'venir, parce qu'y sait qu'moé je l'attends, pis quand y va s'réveiller au milieu d'son rêve, y va s'apercevoir que c'te maudite aventure-là, c'est un cauchemar. Pis j'attends l'jour où c'est qu'y va r'venir à bras ouverts m'embrasser pis embrasser les enfants pis réaliser sa faute! (*Elle se lève.*) R'garde-moé, Nicole, j'ai pas peur. J'arais peur si j'avais quèque chose à me r'procher, mais j'ai rien à me r'procher pis, lui non plus, y a rien à me r'procher. Faut qu'une femme aye la force de comprendre qu'un homme souffre quand y passe le cap d'ses quarante ans. Une femme intelligente, a' laisse faire le temps. Mon expérience va p't-ête te servir, hein, Nicole? (*La tante ne s'adresse plus à sa nièce et commence à trembler.*) Ch'sus pas 'a première femme à qui ça arrive, seulement y en a qui l'savent pas qui sont cocues. Mais moé, je l'sais, mais j'voudrais donc pas l'savoir. (*Sa voix s'étrangle.*) Fait que j'fais semblant que je l'sais pas.

CHANSON: EN ATTENDANT NORMAND

J'fais semblant, Normand,
J'fais semblant.
J'fais comme si tout était comme avant,
Mais laisse-moi te dire
Comment j'me sens,

49

Comment j'me sens, Normand.
J'me sens comme si j'perdais mon sang.
J'me sens comme si j'perdais mon sang.

Elle appelle.

Tante

Christian, veux-tu apporter la veste à maman, mon pit? Pis éteins la lumière su'a galerie.

POLÉON LE RÉVOLTÉ

Poléon est dans son salon; il est en pyjama.

J'ai écrit au gars qui lit les nouvelles tou'é soirs à T.V. J'sais pas si vous l'savez, mais j'ai pas passé par quat' chemins pour y dire ma façon d'penser. J'ai commencé par *Cher Monsieur*, pour pas l'choquer, pas l'énarver, mais ç'a pas été long qu'j'ai pas pu m'contrôler.

Il sort la lettre et la lit. On doit comprendre qu'il connaît le contenu presque par cœur.

Cher Monsieur,

Écoute-moé ben mon constipé, ça fait pas mal d'années que je te toffe pis que j'me force à regarder ton grand visage de mort, en attendant les nouvelles du sport. Hier soir, j'ai dit à ma femme Florence: «Passe-moé un crayon, qu'une fois pour toutes, j'y dise que c'est que j'pense.»

Veux-tu ben me dire où c'est qu'tu veux en
v'nir au jusse,
Avec ton habit vert pis tes mots mystères,
À nous expliquer su'l long pis su'l travers,
Qu'le monde entier fait une crise de nerfs?
Charches-tu à me r'virer à l'envers?
Trop instruit j'suppose pour avoir catcher l'af-
faire.
J'suppose que, comme toute grosse tête qui
s'respecte
Pis qui a trop d'bebites au plafond,
Tu passes tes nuits les yeux ouverts
À charcher des solutions?
Gnochon!
Tu me niaises à tou'é soirs avec le Watergate
avec le Salvador, pis l'bill 22, pis l'bill 101,
Pis les Anglais, pis les Juifs, pis l'P.Q., pis Bou
Bou
Pis, hou donc, pis quiens ben,

Il gigue et déclame sur un air de reel:

À brailler qu'la planète a mal aux reins,
Pis le frère André qui a gradué!
Pis Lech Walesa s'est fait «swincer»,
Pis qu'le prince Charles a mal aux pieds,
Pis, hou donc, qu'Nixon a mal à sa parsonne,
qu'Reagan, pis l'Asie, pis l'Afrique
Avec des noms pour me donner des coliques,
Pis l' député qui s'est fait pogner, paqueté...

Il cesse de giguer et revient à sa lettre.

Pis tu r'vires tes feuilles tranquillement.
Pis tu ris pas. Pis tu r'prends ton souffe.
Un soir t'as roté,
Pis tu t'es excusé.
Pis t'as continué,
En m'chantant qu'une bombe avait sauté
Peut-être ben au nom d'la R.C.M.P.
Pis là, tu m'dis qu'tu vas me montrer un film.
Pis t'en montres pas.
Mais tu lâches pas,
Pis tu finis en parlant des Ski-doo ou ben de l'Halloween,
Selon la saison :
Ou ben des duchesses du carnaval de Québec.
Pis là ça t'prend toute ton p'tit change pour te plisser l'bec.
Pis tu nous lâches un beau
«Bonsoir, mesdames et messieurs.»
Tu nous fais un front d'bœuf.
Tu décroches ta p'tite affaire
Accrochée après ton oreille.
Tu places ton tas d'feuilles.
Pis après toutes ces «folleries»-là,
Tu nous parles d'la météo.
Tu charches à nous dire qu'demain y va faire beau.

Il laisse la lettre de côté.

T'as pas encôre compris
Que su' c'te maudite terre, y mouille tout l'temps
Pis pas une p'tite pluie douce, un ouragan !

À partir de ce moment le comédien prend ou écarte la lettre selon le cas où il serait, soit au paroxysme de l'émotion, soit au bord de l'apaisement.

J't'écris pour te dire
Qu'tu s'rais surpris d'la gang qui pense comme moé
Mais qui continue pareil à t'écouter
En attendant les *scores* du hockey.
Écoute ben que c'est qu'j'vas te dire là.
La politique pis les syndicats,
Pis la pollution, ça m'intéresse pas.
J'vas t'boucher un aut' coin à part de t'ça.
J'suis pus 'a politique depuis Hiroshima.
C'est-tu assez fort ça?
Ça c'est d'la logique, mon grand frais.
Le monde tient au boutte d'un p'tit piton,
Nous aut' on en a un, pis les Russes itou.
Fait que fais-toé aller la yeule,
Pis braille, pis r'sue, tant qu'tu voudras;
Le gars qui va peser su'l piton,
Y s'sacre ben qu'le prix du bœuf aye raugmenté
Ou ben si on va avoir d'l'antigel c't hiver,
Ou ben qu'les bebites grugent nos épinettes.
Quand y va peser dessus,
Tu vas t'apercevoir que toé pis moé pis nos p'tits frères,
On va prende not' trou en calvaire!
Le monde tient au boutte d'un p'tit piton.
Tu diras ça d'ma part
À toutes ceux qui courent après les révolutions
Comme un enfant court après un suçon,
Parce qu'on y a dit qu'du nanane c'tait bon.

Peut-être que tu me comprends pas?
Comme ça on est quitte,
Parce que moé 'tou, des ben grands bouttes,
J'te suis pas non plus.
Pis ma femme encôre moins,
Parce que quand tu t'montres la binette,
A' n'en profite pour aller mette sa jaquette.
Pis là tu ris, pis tu m'prends pour un ignorant,
Pis tu te dis qu'y a rien à faire avec la rue San-
guinet
Pis la rue Saint-Laurent,
Mon écœurant!
Tu comprends pas qu'c'est moé qui a compris
Pis tu m'traites de quétaine pis d'«pepsi»!
Si y avait pas la bombe nucléaire
Peut-être que moé 'tou, j'ferais des ulcères
Mais la bombe, Ti-Gars, est là!
Pis avant qu'a' pète, j'vas toujours ben m'payer
un pâwâ!
Pis j'fumerais pas si c'tait pas de t'ça.
Mais j'fais d'la boucane en masse,
Avant qu'un maniaque claire la place.
Que c'est qu'tu veux qu'ça m'sacre le cancer
du poumon?
Quand not' sainte mère la Terre
Est pognée du cancer des ovaires!
L'aut' jour j'ai dit à ma femme:
«Les chefs des nations veulent pas fumer l'ca-
lumet de paix,
«C'est parce qu'y ont peur d'attraper l'cancer
du poumon!»
Les chefs des nations
Ont toujours eu un faible pour la marde pis les
explosions.

Ma femme a' comprend pas
A' dit : « Viens donc pas m'bâdrer avec ces histoires-là. »
Ça fait que j'te transmets l'message de sa part,
Au nom de tous ceux qui veillent tard.
Mais toé, tu penses qu'avec ta tête de salon mortuaire
Qui jongle de toutes les manières,
Qu'on va changer la face d'la Terre ?
Moé, ch'sus comme le gars d'la banque, ch'sus toute démêlé.
Pis j'aime autant te l'dire tu'suite,
J'ai jamais été fort en géographie.
Pis quand tu m'montres tes p'tites cartes géographiques,
Avec des p'tites flèches pis des p'tits points,
Pour me montrer où c'est au jusse que ça va mal,
C'est comme si tu m'donnais des chocs dans l'épine dorsale !
Fait que j'lâche des cris
Parce que tu m'humilies.
Je l'sais pas où c'est que c'est l'Irlande du Nord !
C'est-tu assez fort ?
Mais toé, j'gage que tu t'écarterais dans Ville Émard !
Pis le Pakistan pis l'Angola,
J'y ai jamais été, pis *I never go* là !
Le sais-tu toé, où c'est qu'y sont placées toutes ces places-là ?
Tu lis su' tes feuilles, c'est ben facile !
Tu m'parles de Reagan comme si c'était un parent proche.

Wô guerlot! *Enough is enough!*

Les seuls qui ont du «fun» à t'écouter
C'est ma gang de *crack-pot*
Qui ont lu les nouvelles dans l'journal
En prenant leu' petit déjeuner.
Y savent toute que c'est qu'tu vas dire
Mais ça leu' fait un p'tit v'lours
De l'entende encôre,
Ça leu' flatte la bédaine du bon bord
Pis ça leu' donne de quoi faire des cauche-
mars.
Parce que vivre pis dormir tranquille, ce
monde-là,
Ça leu' donne des r'mords.
Des pognés
Pis des politisés
Comme mon beau-frère Édouard.

Édouard prétend
Qu'c'est à cause de l'ignorance crasse du p'tit
peup'
Qu'y a rien qui change,
Que toute meurt dans l'œuf.
Édouard, c'est l'intellectuel d'la famille:
Y est professeur.
Pis, quand tu connais ma femme,
C'est pas croyabe qu'a' soye sa sœur!
Édouard mange du fromage qui pue des pieds
Pis y va au théâtre six, sept fois par année.
Pis y a une peinture dans son salon
Qui a l'air de ma belle-mère en ébullition.
Mais quand j'y parle d'la bombe,

Y vient vert comme un « cocombe »
Pis y est pas plus jasant qu'une tombe.

Avant-hier,
Y m'a dit qu'j'étais un agnostique sans l'savoir.
J'y ai dit que j'voulais rien savoir.
Mais ça m'a l'air
Qu'Édouard pis toé, vous feriez une belle paire!
Tu m'as l'air d'un gars qui aime le camembert
Pis Molière.
Pis ça m'a l'air que vous auriez du fun tou'é
deux
À vous péter le crâne
Su' tou'é guerres pis conflits,
Comme tu dis.
Vous parleriez d'inflation
Jusqu'à n'avoir de l'inflammation aux babines,
Pis un coup ben enflammés,
Ça me surprendrait pas d'vous voir déterrer
Hitler pis Staline,
Pis Kennedy avec Sir Wilfrid Laurier.
Mais dans l'fond,
Dans l'fin fond d'vos grandes cervelles qui ont
pas d'fond,
Vous l'savez ben qu'trop que toutes vos prédic-
tions
Valent pas plusse que celles du professeur
Tourbillon!
C'est parce qu'y a la bombe, qu'y a du trouble!
Ah! si tu m'disais que j'mourrais jamais,
J'te pitcherais des fleurs;
Pis moé qui a jamais braillé, j'« morvrais ».

Mais tant qu'les hommes auront la mort au
boutte d'un piton
Parle-moé d'cul pis d'fesses,
Pis de Ski-doo, pis de yatch,
Pis de «plottes», pis d'enfants, pis d'extrême-
onction,
De *jelly-bean*, pis d'actes de contrition,
Pis de *roller derby*, pis de hockey, pis de base-
ball,
Pis de ma maison,
Pis de mon schack dans l'Nord,
Pis d'augmentation d'salaire,
Pis de Loto-Québec, de lutte,
Pis d'after-shave Brut.
Pis laisse-moé vive ben engourdi,
Entre la mort pis la vie.
Laisse-moé ête ben.
Pis dis-moé que c'est qu'y faut que j'fasse
Pour avoir du fun en masse.
Pis quand tu liras tes nouvelles, là,
Dis-moé c' qu'y ont inventé
Pour que j'me soûle, pis que j'me pacte
Pis qu'j'en oublie toutes les maudites grimaces,
Pis qu'j'en oublie toutes les maudites faces en
douleur
Que tu m'montres dans tes maudites nouvelles!
Écoute ben que c'est que j'vas t'dire là
J'veux pus en voir de p'tits nègres pis de p'tits
jaunes
Qui pissent le sang par les deux bouttes,
J'veux jusse que moé pis ma femme pis mes en-
fants
On soye ben, ben, ben, c'est toute!
Pis toé pis Édouard pis vos «doubes»,

Vous l'savez ben qu'trop
Que tant qu'la vie se décidera par un p'tit piton
Avec une bombe au boutte,
Qu'y aura des hommes qui ont besoin de sang,
D'aut' de bière!
Pis c'est pas des p'tits frais chiés comme vous
aut'
Qui vont les empêcher d'boire, ciboère!
Pis vous aut'
Vous m'dites que vous avez soif de justice!!!
Y en a pas eu assez d'morts
Pour vous prouver qu'd'avoir trop eu soif de
justice,
Y sont morts vite en chrisse!
Pis quand j'dis chrisse, j'pense àlui,
Même si j'vas pus à messe
Depuis qu'le pape a dit qu'y était contre la pi-
lule.
Ah, vous avez soif de justice???
Tu vas t'apercevoir mèque le fond d'la gorge te
brûle
Qu'y a pas plus jusse qu'une bouteille de sang
avec une suce.

Remember Hiroshima,
Remember Cuba,
Arrête de prendre la Terre pour un purgatoire,
Ça fait trop longtemps qu'c'est l'enfer!
Y faut qu'tu flirtes avec le démon.
Si tu veux qu'y te passe des bonbons.
J'veux pas t'faire peur,
Mais ch'sus poète à mes heures.
On respire dans une grand' yeule qui est ou-
verte,

Le comédien se place dans cette grande gueule :

On est deboute su'a langue de l'avenir
Pis on sait pas si la yeule va renvoyer ou ben ravaler.
D'une manière ou d'une autre,
Ça s'rait pas l'fun pour personne.
Ça fait qu'en attendant,
Tu r'gardes en haut, pis tu vois des grandes dents,
Comme un couteau tranchant.
Tu sais pas si c'est demain
Qu'la guillotine va te faire parde la tête,
T'as pas peur pis tu r'gardes en bas.
En bas, y a une babine graissée d'argent,
Pis en arrière, en arrière tu r'gardes rien qu'une fois,
En arrière, c'est l'histoire, pis c'est ben laid.
Tu r'gardes rien qu'une fois, pis tu fais comme moé,
Tu pars à courir pis tu t'essouffles mais t'avances pas.
Mais pendant qu'tu cours, tu t'payes la traite au coton,
Tu manges du crédit pis des T.V. dinners.
Pis tu t'haïs parce que t'as peur.
T'as toujours les yeux braqués au plafond
Tu charches le p'tit Jésus pis tu y d'mandes pardon.
M'as-tu pouvoir changer d'char au printemps, Môman ? (*Criant.*)
Mes enfants parleront la langue de l'argent
Pour pouvoir s'payer la traite encore plusse que leu' parents.

61

Moé comme toé,
On reste dans une grande yeule
Qui nous avertira pas quand a' va s'farmer.
Une grande yeule avec des dents en or.
Pis une main, pis un piton, pis une bombe,
Pis bonjour la visite...
Bing bang, vrish vroush, kaput!
C'est toute!

Temps. Il ramasse ses feuilles.

Tu vois comme moé que ch'sus pas fou!
Ch'sus rendu trop loin pour r'virer en chemin.
J'ai pas l'temps de t'attendre!

Pis là tu me traites d'épais,
De rien faire pour le progrès.
Oui, mais tu te trompes, y a une chose que j'fe-
rais;
Une chose que j'ferais,
Pour ma femme, mes enfants, pis tou'é aut';
Une chose que j'ferais
Pour ma ville, ma province, mon pays, ma pla-
nète,
M'as te l'dire mon grand sec.
Si j'pouvais savoir,
Si j'pouvais connaître le gars qui a inventé c'te
bombe-là
Pis celui qui va peser su'l piton un de ces quat'
matins,
J'me greyerais d'un gun
Pis j'irais leu' flamber 'a cervelle à tou'é deux.
Celui qui l'a inventée,

Celui qui va nous la pitcher,
Pis j'les tuerais comme y le méritent.

Mais je l'sais ben qu'trop que c'est qu'y arrive-
rait
Le lendemain aux nouvelles,
Toé pis ta grande face pognée dans l'arthrite,
Tu montrerais mon portrait à toute une gang
d'hypocrites,
Pis plutôt que d'me traiter en saveur d'la justice,
Tu prendrais ta mine trisse
Pour dire au monde : «*Bonsoir, mesdames et
messieurs, hier soir, un terroriste a tué deux
grands scientifistes. C'est un fou qui disait qu'il
avait soif de justice.*»
Pis là tu montrerais un p'tit film,
Pis on verrait ma femme qui tout en braillant
Dirait au monde dans leu' salon :
«Voir si y avait besoin d'se bâdrer
De ces maudites «folleries»-là !
On aurait pu ête ben, moé pis Poléon,
On v'nait d'faire le dernier payement su'a mai-
son.»

Si tu veux lire ma lettre aux nouvelles,
J'te donne la parmission.

Et j'ai signé.

Poléon le révolté.

RAYMOND ET GISÈLE

*Ils se promènent main dans la main et se diri-
gent vers un banc.*

Gisèle
Ah Raymond, Raymond, mon doux Raymond,
ch'sus ben! Ah, tiens, j'te l'donne tu' suite. (*Elle sort
de son sac à main une statuette de David.*) Tiens,
bon anniversaire!

Raymond
Anniversaire?

Gisèle
Ça fait cinq s'maines aujourd'hui qu'on sort en-
sembe.

Raymond
Elle est mignonne comme tout, cette statuette!

Gisèle
J'sais qu't'aimes ben l'nu, fait que j't'ai acheté
ça.

Raymond

Salut à toi, David !

Gisèle

David ?

Raymond

Comme tu es naïve !

Gisèle, *flattée*

J'te r'marcie, Raymond.

Raymond

Que c'est bête, je n'ai rien pour toi. Je te donne la lune. Tiens, attrape !

Il feint de lui lancer la lune. Gauchement, elle feint de l'attraper.

Gisèle

J'l'ai pognée, wou... J'vas 'a mette dans ma sacoche. (*Elle rit.*)

Raymond

Comme tu es naïve !

Gisèle *rit*

J'te r'marcie, Raymond !

Raymond

Ainsi donc, cinq semaines ?

Gisèle

Han ?

Raymond

Cinq semaines déjà...

Gisèle

Ah! À neuf heures et demie, cinq s'maines jusse, jusse!

Raymond, *lui pinçant le menton*

Petit bout de femme à tête de fleur!

Gisèle *fait le même geste*

P'tit bout d'homme à tête de... à tête!

Raymond

À tête bien tracassée, allez!

Gisèle

Raymond, t'es sûr qu't'es pas français de France?

Raymond

Tu ne vas pas encore me faire le coup du complexe!

Gisèle

Ben non, mais j'parle tellement mal à côté d'toé!

Raymond

Tu es naïve, voilà tout...

Gisèle

J'te r'marcie Raymond. Mais pourquoi tu dis: «tête ben tracassée, allez»?

Raymond

J'ai pris une grande décision hier soir.

Gisèle, *heureuse*

Une grande décision?

Raymond

Oui.

Gisèle

Grande, grande, grande?

Raymond

Comme tu dis.

Gisèle

Est-ce que ça m'concerne?

Raymond

Grandement.

Gisèle *lui saute au cou*

Ah, Raymond!

Raymond

Mais, mais Gisèle? Pourquoi tant de... Ah, bon bon j'y suis!

Gisèle *rit*

J'y suis, j'y reste!

Raymond

Gisèle, ne me dis pas que tu crois que c'est une demande en mariage?

Gisèle, *effondrée*

Hein? ben non, non, pantoute.

Raymond, *le regard perçant*

Regarde-moi!

Gisèle *ne peut soutenir le regard*

J'y ai pensé comme ça... vite!

Raymond

Cette institution périmée qui prétend souder deux corps et deux âmes à une époque où personne ne s'appartient! Tu me déçois, Gisèle.

Gisèle

T'es cont' le mariage, Raymond?

Raymond

Tu sais c'que j'en fais du mariage?

Gisèle

Non.

Raymond

Je lui crache au visage! (*Il crache et atteint son bras.*)

Gisèle

Oh!

Raymond

Dis-moi que tu es contre, toi aussi!

Gisèle

Ben...

Raymond

Sinon, tout est fini entre nous, tout!

Gisèle

Raymond, que c'est qui t'prend donc?

Raymond

Ma vie a changé hier. J'ai pris une grave décision.

Gisèle

Quelle?

Raymond

Dis-moi que tu es contre, contre le mariage!
Gisèle, j'ai confiance en toi, ne trompe pas ma
confiance.

Gisèle

Ben, Raymond...

Raymond

Gisèle!

Gisèle, *avec véhémence*

Ch'sus cont'.

Raymond

Bien.

Gisèle

T'es dur...

Raymond

Il n'y a plus de place pour les compromis, la
pitié et l'ignorance en ce monde.

Gisèle

Raymond, que c'est qu'y a?

Raymond

Assieds-toi! Tu sais que je suis des cours de
yoga accélérés, par correspondance, depuis un mois.

Gisèle

Oui, Raymond.

Raymond

Hier, je suis entré en transe.

Gisèle *chante*

Trans-Canada sait chausser chacun...

Raymond

Gisèle!

Gisèle

Fais-moé rire Raymond, t'es trisse, ch'sus mal!

Raymond

Gisèle!

Gisèle

Ch'sus cont' le mariage en tout cas! (*Elle rit.*)

Raymond

Bien. Hier, je suis entré en transe.

Gisèle

Pis?

Raymond

Un gourou m'a parlé. Un gourou que je ne connais pas, qui m'a parlé de très loin.

Gisèle

Comment c'qu'y s'appelle?

Raymond

Malgré mon insistance, il n'a pas voulu se nommer.

Gisèle

Ben, comment tu sais d'abord qu'c't un garou?

Raymond

Gourou... Un yogi, un vrai, sait reconnaître le maître !

Gisèle

Y t'a-tu parlé ?

Raymond

Je suis le Choisi !

Gisèle

Hein ?

Raymond

Regarde-moi ! Je suis celui qui sauvera le petit peuple, le prolétariat. Je suis celui qui sauvera les exploités, les gagne-petit, les crève-la-faim ! Je suis le sauveur !

Gisèle

Voyons Raymond, te prends-tu pour Jésus-Christ ?

Raymond

Ne me parle pas de lui !

Gisèle, *offensée*

Raymond...

Raymond

Le gourou m'a demandé de ne pas me laisser influencer par ce... comment s'appelle-t-il déjà ?

Gisèle

Not' Seigneur Jésus-Christ !

Raymond

Ce type, oui !

Gisèle

Raymond, comment qu'tu parles donc ?

Raymond

Gisèle, ne me dis pas que tu crois en ce type ?

Gisèle

Ce type, ce type Raymond, Jésus-Christ, le bon Dieu !

Raymond

Petite « opiumée » du peuple ! Gisèle, tu ne peux tromper ma confiance ! Toute ta foi s'adressera désormais à moi et à moi seul, vu ? Les fils de charpentier qui changent l'eau en vin pour encourager l'alcoolisme, tu n'en as que faire !

Gisèle

Raymond, tu blasphèmes !

Raymond

Il en va de notre amour, Gisèle. J'ai besoin de toi. Je ne peux partager ta foi avec quelques faux guérisseurs à la gomme...

Gisèle

À la gomme, Raymond !

Raymond

Je compte jusqu'à trois. C'est lui ou moi. Choisis !

Gisèle

Raymond !

Raymond

Choisis... Un...

Gisèle

Raymond, ch'sus pas plus catholique que l'pape mais...

Raymond

Deux...

Gisèle

Raymond, ton garou, es-tu sûr que...

Raymond

Tr...

Gisèle

Oui. C'correct, correct. Tu sais que j't'aime, qu'j'ai jamais eu la chance d'connaître quelqu'un d'si... Ah Raymond, j'te donne toute: ma foi, mon espérance, ma charité si t'a veux!

Raymond

Je prends tout, allez...

Gisèle

Mais j'r'nie pas...

Raymond

Tu renies tout, sauf moi, Gisèle.

Gisèle

O.K.

Raymond

Tu es ma première disciple. Je suis celui qui a été choisi pour briser les chaînes de la masse. Sauras-tu m'appeler Maître?

Gisèle

Oui.

Raymond

Gisèle,

Gisèle

Oui, Maît'

Raymond

Bien. Ma mission est lourde et douloureuse.

Gisèle

Compte su' moé, Raymond!

Raymond

Je réaliserai cette mission seul!

Gisèle

T'as pas besoin d'moé, Raymond?

Raymond

Si, pour recruter des membres qui m'appuieront moralement dans ma tâche.

Gisèle

M'as faire mon gros best, Raymond.

Raymond, *illuminé*

Mon gourou m'a dit: «Va et change le monde.» Et c'est là, que j'ai eu la vision de ces monstres dégoûtants, de ces big boss de la Terre. Ils étaient là et tenaient au bout de leurs mains d'immenses fouets et battaient mes frères exploités. Certains cueillaient le café, d'autres le tabac, d'autres s'abrutissaient dans des usines au son des voix horribles de cette gang de profiteurs et d'exploiteurs, ceux qui terrorisent mes amis.

Raymond a le visage tordu et fouille Gisèle des yeux.

Gisèle
J'ai peur, Raymond!

Raymond
Et mes frères courbaient l'échine et entraient chez eux apeurés, priant le ciel de leur envoyer un sauveur qui châtierait ceux qui, depuis trop longtemps, saignent le cœur de ceux que j'aime tant! J'ai tout vu cela, Gisèle, l'œil ouvert, lucide, comme tu me vois!

Gisèle
J'ai peur, Raymond!

Raymond
Tais-toi!

Gisèle
Raymond, arrête!

Raymond, *hystérique, comme possédé*
Veux-tu te taire! Et j'ai encore vu ces géants à tête d'épervier, bâillonner mes frères, les forçant à se taire...

Il lui met la main sur la bouche. Elle se débat, il la libère alors.

Gisèle
Raymond...

Raymond

Tais-toï! Ils tenaient sous silence la majorité qu'ils appelaient avec mépris, silencieuse! Mes frères avaient peur.

Gisèle

Raymond, tu m'fais peur...

Raymond

Ces monstres leur faisaient peur, mais mes pauvres frères ne savaient pas d'où ni de qui venait leur peur.

Gisèle

Raymond, comment ça s'fait qu'j'ai peur de mêm' donc?

Raymond

Et encore, dans mon songe, je les voyais faire des enfants, en souhaitant que leurs rejetons soient sans peur et sans reproche. Mais ces mômes à tête de dieu, portaient déjà le démon de leur peur dans leur cœur.

Gisèle

Avais-tu peur, Raymond?

Raymond, *cool*

Pantoute. Et mon gourou m'a dit: «Tu as vu, maintenant tu crois.» Et il m'a dit: «Tant que ta mission ne sera pas réalisée, tu ne feras pas d'enfant à ta compagne.»

Gisèle

Hein?

Raymond

Le gourou m'a dit: «Si ta compagne t'aime et t'adore et croit en toi, comme il se doit, elle subira la grande opération. »

Gisèle, *hystérique à son tour*

Raymond, non Raymond, j't'en prie, r'saisis-toé Raymond! Maudit...

Raymond

«Si elle refusait, m'a dit mon gourou, tu devras l'abandonner et chercher ailleurs une autre compagne qui te sera soumise entièrement. »

Gisèle

Raymond, un p'tit enfant, un p'tit bébé!

Raymond

Il m'a dit: «Si elle t'aime, elle n'hésitera pas à faire ce sacrifice. »

Gisèle, *sidérée*

Tu l'sais Raymond, ch'sus prête à toute pour toé, mais...

Raymond

Prête à tout?

Gisèle

Oui, mais...

Raymond

Tout?

Gisèle, *soumise mais désespérée*

Oui, Raymond, j'ai confiance en toé.

Raymond

Bien.

Gisèle

On sait pas c'qui nous pend en d'sous du nez, hein?

Temps. Raymond toise sa victime.

Raymond

Il m'a encore dit...

Gisèle

Pas encôre!!!

Raymond

Bon, je me tais!

Gisèle

Ben non Raymond! Raymond, excuse-moé.

Raymond

Bien! Il m'a dit: «Cette femme, qui te sera fidèle, soumise, dévouée et tout, cette femme, je la sais très généreuse, ta Gisèle!»

Gisèle

Comment ça se fait qu'y m'connaissait par mon p'tit nom?

Raymond

Je lui ai parlé de toi, vanté ta naïveté!

Gisèle

J'te r'marcie, Raymond.

Raymond

« Eh bien, elle devra comprendre qu'il faut qu'elle te soutienne dans ta mission, non seulement moralement, mais aussi financièrement. »

Gisèle

Ah, c'est pas important l'argent...

Raymond

« Et si elle avait, par hasard, quelques économies... »

Gisèle

J'ai un beau dix-huit cents piasses à banque !

Raymond

« Elle te le confiera avec joie. Ça sera une sorte de cotisation à la grande organisation que tu fonderas, une façon de payer sa contribution. Car toi, tu ne pourras gagner de sous. Tu devras voyager, porter la bonne nouvelle et vous serez presque toujours séparés, mais unis dans la même cause. »

Gisèle, *suppliante*

M'as y aller avec toé, Raymond ?

Raymond

Ça coûte cher les voyages, Gisèle. Ton argent ne doit pas servir inutilement.

Gisèle *pleure*

Ben Raymond ! J'veux pas rester tu' seule.

Raymond

Gisèle, tu devras être forte, rester ici et gagner des sous pour la cause.

Gisèle *pleure*

La cause, la cause: ça m'a l'air qu'c'est pas qu'le p'tit bateau qui prend l'eau, c'te cause-là, hein? Ton garou, y te l'a-tu dit comment faire pour la gagner, ta cause? Ça m'a l'air d'ête une mission impossible pis dangereuse ça, hein? C'tu un casse-cou ça? Parce que moé, Raymond, si t'es pour te casser l'cou là... Ton garou, y te l'a-tu dit comment faire?

Raymond

Il ne m'a pas dit comment faire, mais il prétend qu'au gré de mes voyages, je saurai bien trouver quoi faire, allez...

Gisèle, *en colère et en larmes*

Allez, allez! Ça m'a l'air d'ête le genre de gars qui est grand parleur, mais quand y vient l'temps d'faire la job, y s'efface par exempe... Hein?

Raymond

Tu blasphèmes, Gisèle!

Gisèle, *gémissant*

Non, mais tu vas rester tu' seul, pis moé 'tou, j'vas rester tu' seule, pendant qu'tu vas prende soin c'te gang de...

Raymond

Gisèle, mes frères exploités pleurent!

Gisèle

Arais-tu un kleenex? (*Elle pleure.*)

Raymond

Ne vois-tu pas qu'on les piétine?

Il est debout sur le banc et écrase la main de Gisèle.

Gisèle

Aïe-oye!!!

Raymond

Ne les entends-tu pas m'appeler au secours?

Gisèle

Au secours, Raymond, ma main!!!

Il descend, libère sa main.

Raymond

Tais-toi, Gisèle; tais-toi, Gisèle. Tais-toi! Il n'y a pas assez longtemps qu'on fait taire la masse, non?

Gisèle, *épuisée, gémissante*

Ah, Raymond... Raymond!

Raymond

Tais-toi, Gisèle, je parle!

Gisèle, *hurlant, au comble du désespoir*

Tu déparles, Raymond! Oh moé, je l'sais pus si j'vas ête capabe. J'sais pus si j'vas avoir la force.

Raymond

Déjà, tu me renies. Raf! (*Il jappe.*)

Gisèle

Tu jappes, Raymond? C'est pas une question d'reniage, j'ai pas 'a santé pour!

Raymond

Et de deux. Raf! (*Il jappe à nouveau.*)

Gisèle

Pas de p'tits pis tu' seule! Mon doux Jésus, mon Maît'!

Raymond

Ton Maître??? Raf! (*Il jappe une troisième fois.*) Et mon gourou m'a dit: « Quand le chien aura jappé trois fois, elle t'aura trahi. » Jamais je n'eus cru que notre amour s'achèverait ainsi. Je te croyais plus naïve, je me suis trompé, voilà tout!

Gisèle

Ah non Raymond! Ch'sus naïve, ôte-moé pas ça toujours, pour l'amour!

Raymond

Et pourtant mon gourou m'a dit: « Pour qu'un homme soit grand, il a besoin d'une femme derrière lui pour le soutenir. » Je devrai donc me trouver une femme au plus sacrant, si je veux commencer à lutter pour le salut des désespérés. Ça ne sera pas facile de trouver plus naïve que toi, Gisèle!

Désespérée, Gisèle cherche le moyen d'en sortir. Elle aussi s'invente un gourou. Elle va vers l'avant-scène, s'écarquille les yeux: elle a un plan.

Gisèle

Raymond!

Raymond

Hmm?

Gisèle, *d'une voix envoûtante, lente*

Ton gourou, y m'parle; je l'entends très bien, y m'parle là.

Raymond joue le jeu.

Raymond

Quelle langue parle-t-il?

Gisèle, *craintive*

França?

Raymond

Bien! (*Elle respire.*) Que dit-il?

Gisèle

Y dit... «Gisèle, dis à Raymond qu'y oublie toute c'que j'y ai dit hier à soir. J'me sus trompé d'gars, c'est pas lui le Choisi, c't un aut'!»

Raymond

Qui?

Gisèle

Qui? Qui, Garou?... Un aut' Raymond, son deuxième nom y échappe.

Raymond

Et il n'a rien d'autre à ajouter?

Gisèle

Oui, y a d'aut' chose, y a d'aut' chose... Y dit: «Gisèle, dis à Raymond que sa destinée, c'est de te marier, Gisèle!»

Raymond

Mais qu'est-ce que c'est que ce gourou à la gomme?

Gisèle

À la gomme...

Raymond

L'institution contre nature, il cherche à m'aliéner, Gisèle, es-tu certaine?

Gisèle

Attends, attends, j'me trompe. Y dit... «Gisèle, dis à Raymond, qu'il s'accotera avec toi. (*Elle pleure.*) Toi, Gisèle, tu vas prendre soin d'lui d'toutes les manières, financièrement aussi.» D'abord, j'fais un bon salaire. «Raymond lui, va faire son yogi, ça y fait du bien!»

Raymond

Dis-lui que je le remercie de lire dans mon âme aussi clairement! Merci Gourou!

Gisèle

De rien, euh! Y fait dire: «Bienv'nue.»

Raymond

C'est tout? c'est fini la transe?

Gisèle

Non, non, Raymond, ch't'encôre toute en transe. Y a une aut' p'tite chose. Y dit: «Dans quelques mois ou dans quelques années, Raymond te donnera un beau p'tit bébé.»

Raymond

Dis-lui que j'aimerais mieux mourir que d'être le père d'un futur esclave.

Gisèle

Y fa' dire qu'c'est beau un p'tit bébé, Raymond!

Raymond

Dis-lui que j'aimerais mieux être séparé de toi à jamais, plutôt que...

Gisèle

Ah correct, correct! Y dit: «Énerve-toé pas, t'en auras jamais d'p'tit.»

Raymond

Promis?

Gisèle

Promis! Y dit qu'y va prende les grands moyens.

Raymond

C'est tout?

Gisèle

C'est tout, garou?... J'cré ben qu'oui. Mais y dit: «Y a une chose que j'peux vous dire en tout cas, c'est qu'vous allez ête ben heureux tou'é deux en-sembe, le coup' le plus heureux du monde entier!» frrt... Y est parti là. Y est parti!

Raymond *l'étreint*

Ah Gisèle, Gisèle! Gisèle, comme tu es naïve!

Gisèle

J'te r'marcie Raymond!

DEUXIÈME PARTIE

LA DYNAMITE DE GROUPE

Tous

TU PEUPLERAS LA TERRE, ALBERT

André Cartier ou
Guy Godin
Jacqueline Barrette

COMPLAINTE À LA VIE

Guy Tay

LA PORTEUSE DE SECRETS

Michèle Deslauriers

PAUL ET MARIE QUAT'SAISONS

Richard Barrette
André Cartier
Jocelyne Goyette
Jacqueline Barrette

LA VIEILLE

Jocelyne Goyette

BEAU TEMPS POUR LA VÉRITÉ

Tous.

LA DYNAMITE DE GROUPE

Atmosphère de grande tension dans un parfait silence. Ils sont tous assis: un se ronge les ongles, un autre se berce, un autre regarde au plafond, un autre tousse, un autre respire lourdement. L'animateur se lève et tous sursautent.

Tous
Cinquième session, dernière étape.

Ils se regroupent.

Animateur
Écoutez-moi, êtes-vous prêts à m'écouter? (*Silence.*) Vous pouvez parler maintenant! Voulez-vous m'écouter?

Tous
Oui.

Sophie se met à pleurer.

Animateur

Je t'en prie, Sophie, calme-toi!

Sophie

Excusez-moé.

Tous

D'accord.

Simon

Es-tu correcque, Sophie?

Sophie

Oui, Simon.

Simon

D'accord?

Sophie

D'accord.

Animateur

Calme-toi, concentre-toi, d'accord?

Sophie

D'accord.

Animateur

Quatre jours que nous sommes ensemble, sans sortir de cette pièce en session intense. Et ce, sans prononcer un seul mot durant ces quatre jours. Nous étions quatorze, nous ne sommes plus que six. Huit ont manqué de courage.

Sophie

Y avait Frank Ferguson junior,

Gérard

Y avait Douglas Ferguson junior, son frère.

Simon

Marie-Reine.

Murielle

Y avait Jean-Charles, y était smatte !

Albert

'Milienne.

Sophie

Y avait Rosaire, y avait Rita.

Animateur

Hubald

Tous

Hubal.

Gérard

Hubaltt.

Animateur

Nous avons vécu des problèmes ensemble : la toilette est bloquée, ça sent mauvais, le climatiseur ne fonctionne pas. Impossible d'ouvrir une seule fenêtre, elles sont toutes coincées. Nous avons gardé cette lumière crue au-dessus de nos têtes jour et nuit, pour garder nos idées bien éclairées. Ceux qui ont pu, ont dormi couchés sur le terrazzo, sans couverture ni oreiller. Nous n'avions pas le droit de bâiller pour inciter les autres au sommeil. Vous vous êtes touché les mains quand une trop grande frayeur vous étreignait ou quand vous vouliez sentir la chaleur d'un compagnon de route! Et nous n'avons mangé que des pommes crues et bu que de l'eau tiède pour désintoxiquer notre corps et assainir nos pensées. Vous avez été d'une discipline irréprochable. Je vous en félicite.

Tous

Merci, Animateur.

Animateur

J'vous en prie.

Tous.

D'accord.

Animateur

Les seuls bruits et sons qui nous ont rapprochés, ont été les bruits inévitables: les rots, les pets, principalement ceux de Simon...

Simon

Pour moé, c'est les pommes. Excusez-moé.

Tous

D'accord.

Animateur

Autres bruits: la respiration de chacun, les ronflements de Gérard...

Gérard

J'ronflais tu?

Tous, *timidement*

Oui.

Gérard

Excusez-moé!

Tous

D'accord.

Animateur

Également, les sanglots bruyants de Sophie.

Sophie, *pleurant et criant*

J'sais pas que c'est qu'j'ai. J'sais pas que c'est qu'j'ai, je l'sais pas! Excusez-moé.

Tous

D'accord.

Animateur

Ainsi que le bruissement de nos vêtements et pour finir le résonnement de la gifle de Murielle adressée à Albert, qui plutôt que de lui toucher la main, voulut lui prendre un sein.

Albert

J'sais pas que c'est qu'y m'a pris; excusez-moé, Murielle.

Murielle

D'accord.

Éternuement de Gérard.

Animateur

J'allais oublier les éternuements. Bref, nous avons vécu le silence à son état le plus pur. Bravo!

Tous

Merci, Animateur.

Animateur

J'vous en prie.

Tous

D'accord.

Animateur

Pourquoi êtes-vous ici depuis quatre jours et quatre nuits? (*Ils s'agitent.*) Pourquoi vous êtes-vous inscrits à cette session? Vous voulez vous débarasser d'un complexe qui vous terrorise et qui nuit à votre épanouissement personnel! Ce complexe qui est devenu une obsession qui influence votre comportement. Vrai?

Tous

Vrai.

Sophie pleure.

Animateur

Je t'en prie, Sophie, calme-toi.

Sophie

J'sais pas que c'est que j'ai! Je l'sais pas! Excusez-moé.

Tous

D'accord.

Simon

Es-tu correcque, Sophie?

Sophie

Oui, Simon.

Animateur

Calme-toi, concentre-toi.

Sophie

D'accord.

Animateur

À ce moment-ci de la session, nous atteignons le point crucial. Vous avez établi avec les autres, des liens tels que vous n'aurez plus aucun scrupule à révéler aux autres la nature de ce complexe. Vous l'exposerez, vous le montrerez, vous le démontrerez, vous en rirez, vous permettrez aux autres d'en rire s'ils le désirent. Et ce faisant, vous vous débarrasserez à tout jamais de celui-ci. C'est l'aboutissement de la session. Êtes-vous prêts à commencer?

Ils sont devenus euphoriques.

Tous

Oui.

Animateur

Pourquoi?

Tous, *avec confusion*

Ben, parce que...

Animateur

Tut, tut, tut. Un par un. Simon, es-tu prêt pour la confession? Et pourquoi?

Simon *se lève*

J'me sens en confiance avec vous aut'. J'ai un bobo, pis de l'dire, ch'sus sûr qu'ça va m'guérir. Ch' sus prêt. J'ai hâte.

Applaudissements.

Animateur

Et toi, Murielle?

Murielle

Ça s'ra pas la première fois que j'vais faire rire de moi à cause de c'te complexe-là. Mais c'te fois-là, ch'sus sûre qu'ça m'f'ra rien, pis j'me promets bien d'rire un bon coup avec vous autres.

Applaudissements.

Animateur

Gérard?

Gérard

Moé, ch'sus prêt à avoir confiance, mais j'vous avartis tu' suite, c'est peut-ête moé qui a l'pire complexe à supporter. J'vous d'mande de m'aider à m'en délivrer, d'me comprendre pis d'm'aimer comme j'vous aime, de tout mon cœur et de toutes mes forces.

Animateur

Bien! Albert?

Albert

J'espère qu'ça va ben s'passer, pis j'souhaite bonne chance à tout l'monde.

Applaudissements.

Animateur

Voilà qui est court et concis!

Albert, *bondissant*

Que c'est qu'vous avez cont' le court et l'concis, vous donc?

Tous sursautent.

Animateur

Oh là! Doucement.

Albert, *confus*

Excusez-moé.

Tous

D'accord.

Animateur

Et toi, Sophie?

Sophie

J'ai un complexe, j's'rais pas icitte si j'en avais pas. J'm'accepte pas à cause de ça. En tous cas, c'que j'peux vous dire, c'est qu'ça va changer à partir d'à c't'heure, laissez-moé vous l'dire. Pis c'que j'peux vous dire en tous cas, c'est qu'j'vous aime gros comme le ciel.

Ils applaudissent. Elle se jette sur Simon et l'embrasse avec ardeur.

Simon

Sophie, Sophie!

Animateur

Sophie, laisse Simon!

Sophie

Excusez-moé.

Simon

......

Sophie

Simon, pourquoi tu m'dis pas d'accord?

Simon

D'accord.

Animateur

Je me rends bien compte que tout le monde est prêt pour la grande confession libératrice. Pour faciliter les choses, nous allons commencer par ordre de grosseur, en commençant par le plus gros ou la plus grosse, selon le cas.

Tous regardent Sophie. Elle pleure.

Sophie

Excusez-moé, d'accord?

Tous

D'accord.

Animateur

Allez, Sophie, libérez-vous. C'est une chance d'être la première à pouvoir le faire.

Sophie s'avance. Musique.

CHANSON DE SOPHIE.

REFRAIN

Vous avez des pieds,
Moi aussi j'en ai.
Mais moé,
Je r'sue des pieds.
Et quand je r'sue,
J'pue des pieds.
C'est une senteur
Qui peut vous tuer.

*L'animateur rit alors que les autres se regardent
puis baissent la tête.*

COUPLET

Je les lave six fois par jour,
Mais je dégage toujours.
Quand je m'achète des souliers,
Je n'peux pas les essayer.
Une seule fois j'ai essayé,
Mais le gars m'avait frappée.

REFRAIN FINAL

Je vous ai tout déclaré,
Car je sais que vous m'aimez.
Me voilà donc libérée!
Je m'accepte, vous m'acceptez.
Même si je sens fort des pieds,
Simon, sauras-tu m'aimer?
Simon, sauras-tu m'aimer?

*Personne n'ose regarder Sophie. Ils l'ont reniée.
Sophie regarde l'animateur avec haine.*

Animateur

Simon?

Simon

Quoi?

Animateur

Sophie vous a posé une question. Même si elle pue des pieds, saurez-vous l'aimer?

Simon

J'ai une grande amitié pour toé, Sophie...

Sophie boude.

Animateur

Qu'importe, Sophie! Vous êtes libérée, non?

Sophie, *agressive*

Oui.

Animateur

Prouvez-le!

Sophie

Comment ça?

Animateur

Enlevez vos souliers, allez!

Sophie *pleure*

Non, non.

Albert

Laissez-la faire.

Gérard

Entre amis, on n'a pas besoin de preuve.

Murielle

Si a' pue tant des pieds, ça sert à rien de courir après le troub', hein?

Animateur

C'est un échec, Sophie! Un échec. La session est un échec!

Sophie

J'sais pas c'qui me r'tient d'vous mette un d'mes souliers en d'sous du nez!

Animateur, *la bravant*

Allez, allez!

Sophie tente d'enlever une chaussure, puis se met à pleurer.

Sophie

Ch'pas capabe. Ch'sus pas capabe.

Animateur

Suffit Sophie, vous nous cassez les pieds avec vos sales pieds. Au suivant, Simon !

Sophie s'éloigne d'eux. Elle ne pense qu'à se venger.

Simon

Prêt.

Simon s'avance. Musique. Sophie et l'animateur rient tout au long de la chanson de Simon.

CHANSON DE SIMON

REFRAIN

Vous faites pipi
Et moi aussi.
Mais moi,
Pipi au lit.
J'ai vingt-cinq ans
Et la demie
Mais moi, j'fais pipi au lit.

COUPLET

Un jour un psychiatre m'a dit,
Que j'aimais ma maladie,
Que j'avais peur de la vie,
Que j'voulais rester petit!
J'étais pissou et pisseux,
Un mouillé et un mouilleux.

REFRAIN FINAL

Je vous ai tout raconté,
Car je sais que vous m'aimez,
Me voilà donc libéré!
Je m'accepte, vous m'acceptez.
Maintenant que tu le sais,
Murielle, veux-tu m'épouser?
Murielle, veux-tu m'épouser?

Animateur

Murielle?

Murielle

C'est pas que j't'aime pas Simon, mais j'ai toujours eu dédain de t'ça...

Rires de Sophie et de l'animateur.

Simon

J'ai compris.

Animateur

C'est donc ça, la culotte bouffante! (*Simon essaie de cacher sa couche.*) Vous portez une couche, Simon!

Simon

Non.

Animateur

Si vous êtes vraiment libéré, vous n'aurez pas honte de montrer votre couche, Simon!

Sophie

Envoye, envoye!

Simon

J'sais pas c'qui me r'tient d'vous envelopper la tête avec!

Il tente un geste, puis s'éloigne d'eux. Simon veut aussi se venger.

Animateur

Allez, allez! C'est un échec, Simon. À d'autres la libération! Albert!

Albert

Vous allez voir qu'c'est court et concis.

Albert s'avance. Musique. Rires de Simon, Sophie et de l'animateur pendant la chanson d'Albert.

CHANSON D'ALBERT

REFRAIN

Tout homme est fier
De son six pouces,
Mais moi, je n'ai
Que quatre pouces.
J'ai une p'tite verge,
D'un tiers de pied.
Riez, riez, riez.

COUPLET

À la fin de ma croissance,
Je constatai ma déficience,
Je devins trisse, pessimisse.
Aux urinoirs, quel désespoir,
Je cache ma « zoune » dans ma main,
Quand j'vois celle de mes voisins.

REFRAIN FINAL

Je vous ai tout déclaré,
Car je sais que vous m'aimez.
Me voilà donc libéré !

Je m'accepte, vous m'acceptez.
Maintenant que tu le sais,
Murielle, veux-tu m'épouser?
Murielle, veux-tu m'épouser?

Animateur, *riant*
Murielle, vous êtes drôlement sollicitée!

Murielle
C'est pas une question de... tout c'que j'peux
t'offrir Albert, c'est mon amitié pis ça, ça s'mesure
pas.

Rires de Sophie, Simon et l'animateur.

Albert
En tout cas, au moins ch'sus libéré!

Animateur
Prouvez-le!

Albert
Wô, wô!!!

Animateur
Montrez-nous ce quatre pouces, puisque vous
l'assumez!

Albert
Est folle, la tabarnaque!

Sophie
Envoye, envoye!

Simon
Envoye, envoye!

Murielle

Pas d'vant les dames tout de même!

Albert

Allez-vous m'lâcher, oui ou non?

Animateur

Échec, Albert, échec et mic-mac. Ce bout de chair vous coûtera cher!

Albert

⸱ J'sais pas c'qui me r'tient de...

Animateur

Allez, allez!

Sophie

Allez, allez! (*Albert s'éloigne.*) Pas capabe, hein?

Murielle

Bon, c't à mon tour. C'est moi la plus maigre, mais j'veux pas passer en dernier. Écoutez, c't à moi.

Animateur, à *Albert:*

Échec, petit homme! Allez, Murielle.

Murielle s'avance. Musique.

CHANSON DE MURIELLE

REFRAIN

On est garçon
Ou on est fille.

Je suis Murielle,
Je suis une fille.
Avant d'être elle,
J'étais un il.
Avant d'être elle,
J'étais un il.

L'animateur et Sophie rient. Les gars sont boule-
versés.

COUPLET

Mon nom c'est Théo Bilodeau,
J'étais un homme, j'étais homo.
Mais c'était pas ma vraie nature,
Voilà pourquoi j'ai trimé dur,
Pour devenir Murielle, la femelle,
Une séduisante demoiselle!

Sophie et l'animateur rient.

Albert

Viarge!

Simon

Une tapette!

REFRAIN FINAL

Je vous ai tout déclaré
Car je sais que vous m'aimez,
Me voilà donc libérée!
Simon, Albert et Gérard,
Comprenez mon triste sort,
Je n'aurai plus de remords.
Dites-moi, m'aimez-vous encore?
Dites-moi, m'aimez-vous encore?

Animateur
Gérard?

Gérard
J'l'ai jamais aimée.

Sophie, *ironique*
J'pensais pas qu'j'étais tu' seule de fille?

Murielle
Tu m'fais d'la peine, Sophie!

Sophie
Excuse-moé, Théo.

Murielle
Mon nom, c'est Murielle!

Sophie
Excuse-moé, Murielle.

Animateur
Et vous, Albert, l'aimez-vous encore?

Albert

Théo, tu t'es faite coupé ça! C'est-tu pas écœurant? Y en a qui s'la font couper, quand y en a
d'aut'... Théo!

Murielle

Mon nom, c'est Murielle! Toi, Simon, j'suppose
que tu m'renies toi aussi?

Albert

Théo Bilodeau, bâtard!

Animateur

Dans votre cas, Murielle, je crois qu'un strip-
tease s'impose pour faire foi de votre libération!

Tous s'approchent.

Murielle

Voulez-vous qu'j'vous dise quèque chose?
Vous avez pas d'cœur!

Murielle cherche réconfort mais tous la fuient.

Animateur

C'est exact. Rien ne m'atteint. Je n'ai pas de
cœur. C'est la seule chose qui me fasse souffrir.
Échec, Murielle. Double échec.

Sophie

Échec, c'est-tu masculin ou féminin?... Excuse-
moé, Théo.

Murielle

Mon nom...

Sophie

Murielle.

Gérard

Bon, ben, j'cré ben qu'c't à moé.

Animateur

Allez.

Gérard s'avance. Musique.

CHANSON DE GÉRARD

REFRAIN

J'ai honte de moé,
Ch'sus complexé.
J'ose pas,
J'ose pas parler
Parce qu'y a un mot
Qui me fait buter :
Hynoptiser
Hynoptiser.

L'animateur est saisi, les autres rient.

COUPLET

Quand je viens pour le prononcer,
Je rougis, je me cramponne,
Ce mot m'obsède, me talonne,
Hynoptiser, hynoptiser.
Jamais, jamais, je ne l'aurai.
Vous pouvez toujours vous moquez.

L'animateur est très ému. Ils se rendent compte de la « folie » de l'animateur.

Animateur

Arrêtez, arrêtez ! Gérard, Gérard !

Sophie

Voyons !

Animateur

Regardez, regardez, vous m'avez fait pleurer ! Vous m'avez montré que j'avais un cœur. Comme vous devez souffrir Gérard ! Gérard, le mot c'est hypnotiser. Répétez, mon petit chou ! (*Il le prend dans ses bras.*)... Hypnotiser...

Gérard

Hynoptiser. J'pas capabe ! J'pas capabe.

Rires, regards haineux les uns vis à vis des autres. Ils sont chacun de leur bord à s'haïr.

Animateur

Repose-toi, écoute-moi.

Musique.

CHANSON DE L'ANIMATEUR

Ce qui me faisait mal au cœur,
C'était de ne pas avoir de cœur.
Et toi, Gérard, tu m'as prouvé
Que j'ai un cœur !
Tu m'as troublé, tu m'as troublé.
Tu m'as troublé, tu m'as troublé.

Tous

Il l'a troublé, il l'a troublé.
Il l'a troublé, il l'a troublé.

Animateur

Je sombrais dans le désespoir de savoir que rien, mais vraiment rien ne saurait m'émouvoir. Et voilà que m'arrive ce petit chou qui ne peut pas prononcer le mot hypnotiser ! (*Protestations. Il s'adresse aux autres :*) Vous ne comprenez pas, il ne peut pas prononcer ce mot et ça le trouble, le blesse. Ça le meurtrit dans sa chair et moi je souffre autant que toi, Gérard, Gérard !

Murielle, *aux autres* :
V'nez-vous prende un café ?

Tous, *sauf l'animateur et Gérard*
Non marci, Théo !

Ils sortent.

Animateur

Regarde-moi, mon trésor, tu dois y arriver! Hypnotiser, hypnotiser!

Gérard

Hynoptiser. Ah, j'pas capabe!

Animateur

Tu dois te libérer! Je t'aiderai, comme je suis heureux de souffrir, j'ai un cœur, tu entends? Répète...

Montée musicale. Fondu dans le noir.

TU PEUPLERAS LA TERRE, ALBERT!

Il se berce. Elle plie des couches.

Albert

S'tu l'avais pas oubliée ta maudite pilule aussi, esprit! C't un blanc d'mémoire qui t'aura coûté cher, hein? Te v'là encôre la bédaine en l'air! Pour la dixième fois je serai père! Joualvert!

Femme

Vas-tu r'commencer la même histoire, Albert?

Albert

C't aussi ben d'un sens, c'te pilule-là, ça te r'froidissait les sangs! À c't'heure que t'as décidé d'pus 'a prende, j'vas p't-ête r'trouver la vraie nature de Fernande!

Femme

Albert, j'voudrais donc r'virer les affaires à l'envers, pis que ça soye toé qu'aye les ovaires.

Albert

Chacun ses misères. Me sembe que j'méritais 'a paix rendu à neuf! Mais non, v'là ma cocotte qui couve un aut' œuf!

Femme

Pour qu'une cocotte couve, ça y prend un coq, Albert Talbot!

Albert

Tu vas t'faire ligaturer 'é trompes, un point c'est toute.

Femme

J'me f'rai rien ligaturer pantoute. Ça fait treize ans qu'ça dure, y a toujours ben un boute! Treize ans que j'me stérilise, que j'me neutralise, que j'm'organise pour pas m'faire organiser, c't assez! Mes trompes, c't à moé, pis y a personne qui va y toucher.

Albert

Ouan, ben j'ai des p'tites nouvelles pour toé, tu peux ben t'détromper.

Femme

T'es toujours ben pas pour me forcer, hein?

Albert

C'est ça! On va r'tourner à Ogino!

Femme

J'aime mieux ça que d'perde mes morceaux!

Albert

Tu l'sais que c'est qu'y est arrivé avec Ogino? Un oginal, des oginaux, on a eu des jumeaux. À part de ça, y t'ôtent même pas d'morceaux, ignorante, y t'prennent les trompes pis y 'é attachent ensembe.

Femme

J't'ai dit qu'j'avais fini mon calvaire, Albert. J'me sens comme une souris d'un laboratoire. Quand j'aurai eu c'lui-là, on s'calm'ra. (*Temps.*) Pis si y faut, ben...

Albert

T'es pas pour me prêcher l'abstinence, Fernande! Des soirs où j'veux pas, c'est toé qui en d'mandes.

Femme

Tu l'sais qu'enceinte, ch'sus gourmande. Pis comme plus souvent qu'autrement ch'sus toujours en état d'ête môman, j'en profite pendant qu'c'est l'temps. Mais qui c'est qui s'énerve après l'accouchement quand j'te dis qu'y faut ête prudent? Qui c'est qui pique des colères, qui c'est qui m'traite de frigidaire pis d'sœur missionnaire? Qui c'est qui pogne les nerfs. Pis qui c'est qu'essaye d'chasser mes remords en m'chantant que c'te fois-là, «la mère Nature va ête d'not' bord?» Qui c'est qui m'rembarque dans 'a galère? Pas d'aut' que toé, Albert!

Albert

Ah, tu veux tourner l'fer dans 'a plaie? Tu t'rappelles pas du stérilet?

Femme

Albert, s'i' vous plaît!

Albert, *l'imitant*

«Albert, c'est garanti à cent pour cent!» J'arais dû prendre mes renseignements!

Femme

Quatre-vingt-dix, c'pas loin d'cent.

Albert, *l'imitant*

« Albert, ça bloque les spermatozoïdes ! » Ç'a pas barré l'chemin à p'tite Clotilde. À c't'heure, s'tu veux, j'peux t'parler des crèmes, des condoms pis des mousses...

Femme

Envoye, Albert, lâche-toé lousse ! J'y croyais au stérilet, j't'ai dit ça pour que tu te sentes en paix. J'ai mis ma confiance dans les quatre-vingt-dix. Envoye, plains-toé, crie au supplice ! N'empêche qu'c'est pas toé qui a les vergetures pis les varices !

Albert

Non, mais qui c'est qui travaille martyr pour les nourrir ? J'ai pas d'marques su'l corps, c'est ben trisse, mais j'ai 'a patience qui sonne le fond d'canisse !

Femme

C'est pas toé qui 'é portes, c'est pas toé qui 'é torches !

Albert

Non mais c'est moé qui mets d'l'argent d'poche dans ta sacoche !

Femme

J'te r'marcie !

Albert

Fernande, y a rien qu'la pilule qui est garantie !

118

Femme

La pilule, je l'oublie, j'ai mal à tête, j'engraisse, j'boursoufe pis j'ai pus l'goût qu'tu m'touches!

Albert

Bon ben r'tournons aux condoms, aux crèmes, pis aux mousses! La crème rose: Marie-Rose. La crème verte: la p'tite Gilberte, la crème bleue, Tibeu, le condom: Gaston, la mousse drab: Amabe. Ça rime à part de ça, j'avais jamais r'marqué ça! Ou ben r'tournons au thermomètre?

Femme

T'es donc bête. André est là pour prouver qu'ç'a pas marché.

Albert

J'cré ben qu't'as 'é quat' saisons dans l'corps, tu passes du vent du nord aux grandes chaleurs en l'espace de trois quarts d'heure.

Femme

Maudite température! Pour moé, Albert, faut pus combatte la nature, même si les temps sont ben durs.

Albert

Hou donc! on va grossir la collection! Un d'plus, un d'moins, pourvu qu'ça dépasse pas quatre-vingt!

Femme

Ben non!

Albert

C'est la pilule ou les trompes: as-tu compris?

Femme

Ou ben la vasectomie.

Albert, *entre les dents*

Ostie!

Femme

Que c'est qu't'as dit?

Albert

J'ai dit marci.

Femme

As-tu compris? Ou ben c'est encôre moé qui pâtis, ou ben tu t'fais faire la vasectomie!

Albert

T'as du front, hein, Fernande?

Femme

J't'oblige pas, j'te l'demande.

Albert

Non, mais dans l'fond, c'est ça qu'tu voudrais. Ben t'as menti, jamais j'me f'rai couper dans mes parties.

Femme

Albert, on s'chicane tout l'temps, on n'a pas assez d'dix enfants?

Albert

Voyons, maman!

Femme

J'ai pas assez faite ma part? Tu voudrais qu'j'en fasse encôre? C't une p'tite coupure qui laisse pas d'trace, ça fait pas mal, même pas besoin d'aller à l'hôpital. Quand c'est fini, y a rien d'changé, excepté qu'tu pourras pus m'faire de bébé.

Albert se promène de long en large. Musique de tango.

COMPLAINTE D'ALBERT

REFRAIN

Albert

Oui mais Fernande,
C'est un cas de conscience!
J'comprends tes arguments,
T'es une bonne femme,
Une bonne maman,
Tu n'en veux plus de 'tits n'enfants
J'te comprends, j'te comprends.
Et pourtant...

PREMIER COUPLET

Albert

Je suis un homme, je suis Puissance,
Celui qui porte la semence,
Celui qui a semé tant d'enfances,
Je suis la sève d'la survivance.

Femme

T'as faite ta part, Albert, me sembe,
Albert, pourquoi tu trembes?

REFRAIN

Albert

Oui mais, Fernande,
C'est un cas de conscience,
J'comprends tes arguments;
T'es une bonne femme,
Une bonne maman,
Tu n'en veux plus de 'tits n'enfants,
J'te comprends, j'te comprends.

Femme

Si tu m'comprends, Albert,
Pourquoi pognes-tu les nerfs?
Que c'est qui t'empêche de l'faire?

DEUXIÈME COUPLET

Albert

Fernande,
Qui connaît l'avenir?
Si tu mourrais demain,
Ou bien après-demain...
Comme cette pensée est macabre,
Mais si la fleur mourrait au pied de l'arbre...

TROISIÈME COUPLET

Albert

Il n'est pas bon que l'arbre soit seul,
Bien sûr, je pleurerais ton deuil.

Femme

J'te r'marcie,

Une jeune fille entre en scène. Albert joue la pantomime de son aveu. Fernande semble ne rien voir de ce qui se passe.

Albert

Mais si une jeune fleur parfumée,
Acceptait de me consoler,
Une jeune fleur tendre et rose,
Qui chasserait mes idées moroses.
Si l'arbre mariait la fleur,
Fernande m'en tiendrais-tu rancœur?

Femme

Albert, je te l'ai dit souvent,
Si jamais j'mourrais avant,
Trouve une mère pour les enfants.
Mais comme c'est là, énerve-toé pas,
J'ai d'la vie plein le ventre
Pis ch'sus loin d'ête mourante.

Albert est au comble de la nervosité.

COUPLET FINAL

Albert

Oui, mais si cela arrivait,
Si cette jeune fleur m'épousait,
Si cette jeune fleur de vingt ans,
Voulait de moi un 'tit n'enfant?

Fernande est estomaquée.

Oh! quand j'y pense, comme je tremble,
Je me jetterais à ses pieds,
Et j'implorerais sa pitié,
Je lui dirais la vérité.
Je suis stérile, je me sens vil,
Un jour cédant à la demande
D'une dénommée Fernande,
J'ai posé un geste étourdi,
J'me suis fait faire la vasectomie.

Et elle est là, et elle est là,
Le cœur en peine, en désarroi,
Et elle pleure, ma fleur de vingt ans
Et moi je pleure tout autant.
Je ne peux te donner d'enfant
Je ne peux te donner d'enfant.

*Il se ressaisit comme s'il sortait d'un rêve. La
jeune fille disparaît.*

Albert

Ben voyons, voyons donc! C'est-tu fou, c'que
ça peut faire, l'imagination? Voyons, Fernande, oublie ça là. J'sais pas c'qui m'a pris d'dire ça.

Femme

On l'sait pas. En tout cas, s'y m'arrivait malheur, tu diras à ta p'tite fleur, pis c'est un docteur qui me l'a dit, paraît qu'y a des p'tits ben en vie qui prouvent qu'la vasectomie c'est pas toujours garanti.

Albert

Voyons, Fernande...

Femme

D'mande-moé pas pourquoi j'me plains, hein?

Albert

Tu t'plains l'vente plein!

COMPLAINTE À LA VIE

INTRODUCTION À LA PORTEUSE
DE SECRETS

La porteuse entre et s'installe pour jouer du banjo. Elle est surprise par un énergumène qui vient pousser sa complainte. La porteuse de secrets observe la scène.

Ah, toi la vie,
Je te coup de pied, je te coup de dé,
Je te chiquenaude, je t'échaude,
Je te clef Nelson,
Je te Parkinson.
Ah, vie, vie, vie, toi la vie...

On se traîne le fond de culotte
Sur le plancher des cloches,
La vie nous crasse, la vie nous casse.
La vie grimace, la vie nous strappe... Ah!

Vie, toi la vie,
Je t'impédigo, je te bobo,
Je te karate, je te judo.
Qu'as-tu fait de mon cerveau?
Et tape ta pomme et tape ta poire...
Aussi. La vie...

LA PORTEUSE DE SECRETS

Porteuse, *troublée*
C'est d'valeur, hein?

Elle se met à jouer.

Ch'sus pas plus folle que lui, j'cours après l'bonheur. Pis c'est pas parce que j'veux m'vanter, mais ça m'a l'air que j'ai trouvé une bonne recette pour le garder. Pis vu qu'j'ai jamais été safe de nature, tous mes amis et parents vous diront qu'mon bonheur, je l'sème à tout vent. J'donne ma joie comme on donne des bouquets! J'peux pas faire autrement parce que ch'sus pas capabe d'ête heureuse si les aut' autour sont pas contents. C'est rare hein?

Elle joue du banjo. Temps.

Mais c'est drôle comme le bonheur attire, hein? Autant qu'le suc' attire les mouches! Comme disait Rita, mon amie d'fille, a' dit: «Toé, t'as tellement l'air d'ête ben dans ta peau, qu'a dit, ça donne le goût d's'accoter su' toé comme on s'accote su' un poteau. »

Elle rit.

A' dit : « Tu nous donnes le goût d'te faire des confidences. » C'est vrai qu'le monde me font confiance. C'est parce qu'une parsonne heureuse, c'est comme un soleil, comme une fleur en plein soleil. Fait que, veux, veux pas, ça attire les abeilles. Mais des fois, les abeilles, ça pique, hein ? Moé, ch'sus comme la porteuse de secrets ; si j'pouvais conter toute c'que j'sais, mon Dieu ! Des choses que ch'sus tu' seule su'a terre à savoir. Le monde déverse leu' confidences, moé, ch'sus l'entonnoir. Mais c'est pas toujours drôle, hein ?

Elle cesse de jouer et s'avance pour raconter.

Prenez Rita, mon amie d'fille,
A' prend d'la drogue, a' r'nife.
Mais là, a' veut s'piquer avec une aiguille ;
A' veut pas qu'j'le dise à son chum Éric,
C'est d'valeur, hein ?
Parce qu'Éric, a' veut l'marier.
J'y ai dit qu'j'en parl'rais jamais,
A' m'a faite jurer.

Mais Éric, le chum de Rita, y m'aime ben,
Y s'est confié à moé, mardi passé.
Y m'a dit qu'y était déjà marié,
Qu'y sortait avec Rita pour se r'venger
D'sa femme qui l'avait trompé.
C'est d'valeur, hein ?

Elle se remet à jouer, puis s'arrête.

C'est comme ma tante Annette, a' m'aime ben.
A' m'a confié un soir su'a galerie,
Qu'a' avait jamais joui,
Qu'a' avait faké toute sa vie,
Qu'a' disait «encôre, encôre»,
Pis qu'a' lâchait des cris,
Pour pas faire de peine à mon oncle Louis.
C'est d'valeur, hein?

Pis mon oncle Louis, lui, y m'aime ben,
Ch'sus sa confidente, y m'fait confiance.
Y m'a dit qu'y était découragé,
Qu'ma tante Annette était trop brûlante,
Qu'a' déchirait les draps, qu'a' cassait les lampes,
Qu'y en pouvait pus d'l'entende crier «encôre»,
Qu'pas se r'tenir y irait travailler
À Goose Bay, Labrador!
Mais y veut pas faire d'la peine à ma tante
En y parlant d'abstinence,
C'est d'valeur, hein?
Les deux m'ont d'mandé d'jamais en parler,
J'ai promis, y m'ont faite jurer.

Elle retourne s'asseoir et joue quelques notes.

C'est comme Omer, mon patron,
Y m'a confié avec un moton dans l'gorgoton,
Qu'sa femme, Raymonde, a le cancer du poumon,

Qu'a' va l'ver les pattes ben vite.
Y pleurait, y était donc trisse.
C'est d'valeur, hein?

Pis Raymonde, la femme de mon patron,
A' m'aime ben. A' m'a faite la confession
qu'Omer, mon patron,
Était pris du cancer du sang,
Qu'y en avait pus rien qu'pour un an.
C'est d'valeur, hein? Les deux!
Mais j'garde ça pour moé,
Parce qu'j'ai juré.

Quelques notes encore.

C'est comme ma p'tite sœur Denise,
A' dit à ma mère de pas s'inquiéter,
Qu'a' prend ben soin d'sa virginité,
Qu' a pas un homme qui y a touché.
Mais ma p'tite sœur m'a confié
Qu'ça faisait deux fois qu'a' s'faisait avorter.
C'est d'valeur, hein?

Mais, ma mère, a' m'aime ben.
A' m'a confié d'un aut' côté,
Qu'même si a' jouait les crédules,
A' était sûre que Denise s'f'rait jamais pogner
Parce quà c't âge-là, toutes les p'tites filles
Prennent la pilule!
C'est d'valeur, hein?
J'ai rien dit, j'avais promis.

Elle est décidée à tout raconter et dépose son banjo. Elle sera de plus en plus triste jusqu'à brailler.

Pis mon cousin Marc-André, y m'aime ben,
Y m'a confié les yeux dans l'crin :
Qu'son père, mon oncle Germain,
Avant une maîtresse, qu'y les avait pognés un soir,
Qu'la maîtresse de mon oncle,
C'est pas d'aut' que ma mère!
C'est-tu d'valeur, hein?

Pis 'a voisine à côté d' chez nous,
A' m'aime ben.
A' m'a confié qu'mon père pis elle,
S'aimaient comme des fous depuis vingt ans,
Qu'a' avait eu un p'tit gars d'lui y a dix ans.
Mais qu'y l'avaient placé en institution,
Parce qu'y était mongol pis consomption.
C'est d'valeur, hein? Mon demi-frère.
Mais une fille peut-tu trahir son père?

Elle pleure.

C'est comme mon chum, y m'aime ben,
Y m'a confié son secret.
Y disait qu'après, y s'sentirait en paix
Pis qu'ça l'soulagerait,
Pis qu'y savait qu'y pouvait compter su' moé,
Que jamais, au grand jamais, j'en parl'rais.
Y m'a confié, qu'c'est ma sœur, qu'y aime, pas moé!

Qu'a' s'était faite avorter deux fois à cause de lui
Pis qu'a' était encôre enceinte, mais qu'c'te fois-là,
Y vont garder l'p'tit,
Parce qu'le mois prochain, y 'a marie!
Non mais, c'est-tu d'valeur ça, hein? Seigneur!

Elle braille.

Comprenez-vous à c'te heure, que si j'parlais,
Si fallait qu'j'dévoile mes secrets,
Que j'f'rais d'la chicane partout,
Qu'toute c'te monde-là r'virait fou?

Elle reprend son banjo.

C'est pour ça que j'vas m'la fermer.
Moé, c'est du bonheur que j'veux donner,
Pis j'veux pas qu'parsonne souffe à cause de moé. Bon.

Elle joue sa toune. Fondu dans le noir.

PAUL ET MARIE QUAT'SAISONS

Deux tableaux se déroulent en même temps sur la scène. L'éclairage se pose sur l'un et l'autre alternativement.

PREMIER TABLEAU

Paul et Ti-Gars sont assis à une table, ils prennent un verre de bière.

Ti-Gars

Ouan, ouan...

Paul

Non, non, non, mais que c'est tu veux, tu t'ouvres les yeux en vieillissant. T'es encôre jeune là toé, mais m'as t'dire des affaires Ti-Gars, qu'un homme réalise à cinquante ans.

Ti-Gars

Ouan, ouan.

DEUXIÈME TABLEAU

Marie est debout et parle à sa mère assise dans la berceuse.

Mère

Pis?

Marie

Pas grand-chose, j'arais dû savoir qu'un homme peut pas comprendre ça, c'est pas un docteur qui va régler mon cas.

Mère

Y as-tu dit?

Marie

Ben oui, j'ai dit: «Docteur, j'file pas depuis un bout d'temps, j'dors pus, pis j'ai c'te maudit moton qui m'coupe la respiration depuis trop longtemps.»

Mère

Pis?

Marie

Y m'a dit: «C'est normal à votre âge, madame, c'est d'l'angoisse, un p'tit début d'dépression. Faites attention à vot' moral, occupez-vous pour chasser les idées trisses. » Y m'a fait un p'tit sourire vite en voulant dire : « T'sais que t'es pas la première de ton âge à avoir des crampes de nostalgie entre les deux tempes ! » Fait que ch'sus sortie aussi vite, avec un p'tit papier qui m'donnait 'a permission d'aller m'acheter des nananes à pharmacie du coin. Ah, maman, maman !

Mère

Ça va s'passer, ça va s'passer avec le temps.

Marie

J'me sens comme si y m'poussait des ailes. (*Elle sourit.*) Pas des ailes de colombe, ni des ailes d'hirondelle, des ailes de vautour !

Mère

Voyons donc, Marie !

Marie

Pour voler loin par en arrière, pour survoler mon passé, comme pour aller trouver le bobo, le défaut qui fait qu'à c't'heure j'me sens pleureuse, pis peureuse ! R'tourner en arrière, ça doit ête pour ça qu'y appellent ça le retour d'âge.

Mère

Ça t'donnera rien, Marie, rien pantoute.

Marie

Comme si avant de passer à l'aut' chapitre, j'voulais r'tourner voir. Quand j'sortais avec Paul...

PREMIER TABLEAU

Paul

Quand j'sortais avec, Chose, j'te mens pas: une colombe! T'sais, quand tu dis blanc comme une colombe?

Ti-Gars

Ouan, ouan.

Paul

Pure, sans tache pis innocente, j'avais d'la misère à y flatter une aile, c'te p'tit oiseau-là partait en peur. Encôre ben moins y flatter la phalle, (*Il fait le geste.*) t'sais que c'est j'veux dire?

Ti-Gars

Ouan, ouan.

Paul

Ah, Jésus-Marie... si tu y flattais la phalle, a' partait à l'épouvante, les p'tites plumes blanches qui r'volaient d'un bord pis d'l'aut' pis ça m'prenait tout mon grain pour qu'a' revienne s'laisser apprivoiser. J'te mens pas, ça m'donnait des idées pas catholiques d'la plumer pis d'en faire rien qu'une bouchée. Comprends-tu l'image?

Ti-Gars

Ouan, ouan.

DEUXIÈME TABLEAU

Marie

Paul, l'amour avec les trois grands A soupirés!

Mère

J'trouvais donc qu'c'tait un bon parti, ton père avec; honnête, sérieux, ça s'voyait qu'y t'respectait comme une image sainte.

Marie

Ah, mais maman, que j'aimais donc ça quand y m'faisait des avances, même si j'le r'mettais *right back* à sa place. J'voulais donc qu'y me touche les seins même si après j'le boudais une couple d'heures pour le punir d'son attentat à ma pudeur. J'aimais donc ça quand y r'venait s'faire pardonner, parce que j'savais qu'ça finirait par des caresses *all dressed*... pis qu'après ça, j'braillerais trois quarts d'heure pour qu'on s'sente coupabes tou'é deux, parce que tu m'avais montré que refuser, pleurer, bouder pour une femme c'tait ça la féminité. Jouer les colombes quand on s'sent chatte.

PREMIER TABLEAU

Paul

C'pas moé, ça, qui avais ces idées-là. J'la respectais comme un curé respecte sa ménagère! Non, non, écoute, j'tais pas fait en bois, mais entre les idées pis les actes, y avait 'a morale. Dans mon temps là j'parle. (*Ti-Gars rit.*) Non, j'parlais d'la gang de matous du boute qui rôdaient autour d'elle, mine de rien mais t'sais, j'tais matou autant qu'eux aut' là moé, pis t'sais qu'un matou d'race a d'la misère à résister à un beau 'tit oiseau! Ben quin, prends Twitty Bird pis Sylvester, t'sais (*Il imite:*) «*Hello breakfast!*», «*I thougt I taw a putty tat.*»

Ti-Gars

Ouan, ouan.

Paul

Ça fait que j'me sus dit en moi-même: y est temps que j'prenne les grands moyens pour décourager toutes les Sylvester du boute, que j'agisse en homme mûr pis civilisé. Fait qu'j'ai pris une veillée tu' seul à penser, j'ai fait taire la voix du matou une p'tite escousse pis j'ai raisonné en homme! Comprends-tu?

Ti-Gars

Ouan, ouan.

Paul

Fait que j'me sus dit: «Paul, t'as une colombe à portée d'la main, pure, propre, travaillante; arais-tu honte qu'a' soye ta femme? Non! Arais-tu honte qu'a' soye la mère de tes enfants? Non, non crime, y a pas une colombe plus blanche!» Fait qu'la première chose que t'as su: Sylvester d'mandait Twitty Bird en mariage. C'tait important qu'ça s'fasse devant Dieu et devant les hommes. Dans mon temps là j'parle. Me suis-tu là?

Ti-Gars

Ouan, ouan.

DEUXIÈME TABLEAU

Marie

Tu m'avais dit qu'à force de r'fuser, pleurer, bouder, j'finirais ben par me faire marier. J'ai fortillé entre la tentation pis le «non, Paul, non!» comme un ver fortille au bout d'un hameçon en agaçant l'poisson. Ça m'faisait mal, ça m'faisait mal, bon! Ah! moman, c'est-tu normal d'avoir enduré tant d'orages en plein printemps d'ma vie? Tant d'pluies su' deux ans d'fréquentations, comme si c'tait une garantie qu'après ça, y f'rait soleil, pour le restant d'ma vie, hein moman?

Mère

Après la pluie, le beau temps...

Marie

Ouan, pour un bout d'temps, le beau temps.

PREMIER TABLEAU

Paul

V'là l'grand jour. Ta blanche colombe s'habille en blanc. T'sais qu'ça fait du blanc ça, hein? Toé, l'matin d'tes noces, t'as des p'tits frissons comme de r'gret. Ça c'est l'matou dans tout homme qu'aime pas s'sentir attaché, mais je l'savais ça, j'm'en sus pas faite. Fait que tu t'habilles en noir, pis te v'là dans 'a grande allée. Tu dis oui, a' dit oui, pis là c'est l'grand banquet, pis tu t'mets à fêter! T'sais qu'un chat se tanne pas du poulet, hein? J'sais pas si tu comprends l'image?

Ti-Gars

Ouan, ouan.

Paul

Là c'est beau mon Ti-Gars! Tu t'sens tellement gourmand qu't'as quasiment peur d'faire mal à ton oiseau! Ben non, ben non, a' est pus farouche pantoute. Tu t'aperçois qu'le printemps d'tes amours a été aussi dur pour elle que pour toé, tu t'aperçois qu'a l'feu dans l'ventre pis dans les yeux, pis là, tu y r'gardes par deux fois, pis tu vois que tu voyais mal, qu'la colombe c'est une image d'Épinal, qu'y appellent?

Ti-Gars

Ouan, ouan.

Paul

Pis tu te dis: « Ah ben bâtard, j'm'étais trompé, c'tait pas une colombe, c'tait une chatte! » Pis t'es fou comme un balai, parce qu'une colombe, un matou peut toujours l'effaroucher pis la blesser, tandis que là, a' est d'la même race que toé! Tu te r'trouves au commencement d'l'été de ta vie avec une chatte qui t'fait patte de velours, t'es d'la même race qu'elle, comprends-tu? Un gars s'pense au ciel! Estu croyant, toé?

Ti-Gars

Ouan, ouan.

Paul

Pis ça t'donne des p'tits d'toute beauté, c'te belle minoune-là, pis ç'a l'instinct maternel superdé-

141

veloppé! T'a r'gardes aller, pis tu te d'mandes pourquoi t'as déjà parlé de 'tit oiseau fragile! C'te chatte-là est forte pis souple, ç'a du caractère quand a' sort ses griffes, c'est pas pour te griffer, c'est pour protéger ses p'tits. Est pleine d'énergie, tu jur'rais qu'ç'a neuf vies! Eh maudit! tu comprends pourquoi une chatte a pas besoin du matou pour élever ses p'tits! Non, non, trompe-toé pas là, ces chatons-là, y ont eu un bon père. J'me rappelle des matins toute la gang dans l'lit, la mère pis les p'tits, à s'chatouiller, chanter pis rire, à s'embrasser pis à jouer, tout le temps qu'a duré l'été...

DEUXIÈME TABLEAU

Marie

Le beau temps. Paul pis moé mariés! Le sacrement d'la permission! En plein été, tou'é deux deboute, pleins d'appétit, à manger d'l'amour jour et nuit, à faire des beaux bébés, des p'tits anges qui gazouillent en plein cœur d'not' paradis!

Mère

Franchement, vous avez eu des ben beaux enfants.

Marie

Quand j'connaissais même pas l'mot soumission, que je l'appelais libération. Pas plusse le mot frustration, je l'appelais abnégation! Quand laver, cirer, frotter avaient des airs de party, quand même changer la couche du p'tit avait une odeur de poésie!!!

Mère

Mon Dieu, t'es donc comme moé!

Marie

Ah! maman, quand j'survole c'temps-là, j'vois ben que j'tais pas la poupée fragile que j'pensais ête du temps d'mon printemps. J'me vois forte, solide, puissante, une femme de journée, une épouse, une sœur, une mère, une amante, une chef du foyer à r'cevoir des becs pis des caresses de tout l'monde, parce que j'me faisais payer *cash*, en tendresse! Jusqu'à fin d'l'été, vers mes quarante ans, quand j'tais fière que même mon mari, m'appelle maman. Dix-huit ans d'été, c'est ben trop court!

PREMIER TABLEAU

Paul

Jusqu'à temps qu'le cadran sonne pis qu'un jour a' me r'garde le visage trisse en m'disant:

À ce moment l'éclairage couvre les deux tableaux.

Marie

Paul, c'est déjà l'automne. (*Temps.*)

Paul

Je l'savais comprends-tu, je l'savais. Pis là ma chatte est r'virée lionne, 'tits coups par 'tits coups. Pis moé, j'me r'trouve entre le matou pis l'loup. Tu comprends pas, hein? Veux-tu que j't'explique ça?

Ti-Gars

Ouan, ouan.

Marie

Pis là, maman, ch'sus rendue au-dessus du temps où qu'ç'a commencé à sentir l'automne. Quand c'est pus l'party, c'est 'a besogne.

Paul

Quand a pus faite patte de velours.

Marie

Quand plutôt que d'chanter, j'grogne.

Paul

Quand les griffes étaient sorties plus souvent qu'autrement.

Marie

Quand la reine du foyer s'sent d'venir la bonne.

Paul

Quand a' s'est mise à rôder la nuit comme une lionne en cage.

Marie

Quand les enfants rentrent ben trop tard!

Paul

Quand a' s'est mise à charcher ses p'tits, même si a' savait qu'ses p'tits étaient pus p'tits.

Marie

Quand y m'appartiennent pus, ni d'l'âme, ni du corps.

Paul

Quand a' s'est mise à manger comme une lionne, qu'a' s'fichait ben d'peser une tonne.

Marie

Quand Paul s'endort sans m'dire bonsoir.

Paul

Quand tu l'entends qui grogne : «Maudits hommes». Quand a' passe des heures à parler à sa mère au téléphone.

Marie

Quand les yeux au plafond, j'veille, en attendant ma tendresse de paye.

Paul

Qu'a' dit qu'est tannée d'ête la servante, qu'al'aurait pu étudier les sciences au lieu d'laver ta vaisselle.

Marie

Quand Paul claque les portes quand j'parle de soumission pis frustration.

Paul

Ben c'est là que l'matou, y s'sent serrer drette icitte, des serres dans l'cou! Comprends-tu, Ti-Gars?

Ti-Gars

Ouan.

Paul

Parce que je l'sais moé, quand je l'ai connue, ma colombe au printemps, a' rêvait d'ête femme de ménage, épouse, sœur et maman comme sa maman pis sa grand-maman, pis là parce qu'al'a la chienne devant l'automne, a' t'dit qu'a' était donc naïve de prendre le tablier pour une couronne.

Marie

Quand j'me lève la nuit pour aller me r'garder dans l'miroir pis que j'me dis : « Voyons Marie, c'est encore rien qu'l'automne, pourquoi c'est faire que tu penses déjà à l'hiver ? » Pis là, maman, ça commence à empester, ça sent l'automne à plein nez ! Quand j'rôde dans ma cuisine la nuit, pis qu'al'a des airs de désert, pis que j'me dis que dans ma vie, l'automne, c'est aussi révoltant qu'un *hit and run* ! Tu dis rien, maman ?

Mère

Tu dis toute...

Paul

T'sais qu'un homme s'sent coupabe d'vivre à côté d'un esclave ! Esclave, ça c'est elle qui l'dit ; c'est comme si a' s'rappelait pus qu'a' m'a déjà dit qu'a' s'sentait au paradis ! Elle aussi si a' 'n a profité d'l'été. A' s'en rappelle-tu d'après toé ?

Ti-Gars fait un haussement d'épaules.

Marie

Moman, moman, pourquoi faire, quand tu m'parlais d'l'automne, tu m'parlais jusse d'la belle couleur des feuilles, pis d'la bonne senteur des pommes ?

Paul

C'est là qu'ch'sus rendu Ti-Gars, en plein automne, moé pis ma lionne ! Laisse-moé t'dire qu'un

146

gars est mal, pis qu'y veut pus rien savoir de parsonne! A' commence à m'tomber pas mal su'é nerfs,
à brailler qu'al'a donc hâte à l'hiver, pis à s'faire
consoler par sa mère. Comprends-tu?

Ti-Gars

Ouan.

Marie

Pis là t'as l'goût d'en parler à un docteur... mais
finalement t'en parles à ta mère.

Paul

Ouan, ben r'garde-moé ben Ti-Gars, pis
trompe-toé pas, j't'encôre bon homme. Ch'sus loin
d'ête gelé, pis l'hiver est loin d'ête arrivé pour moé!
Chrisse! y a des jours, j'me sens en plein été! Des
fois, Ti-Gars, j'ai des goûts, des maudits goûts, d'aller
jouer au loup, d'aller m'chercher un p'tit chaperon
rouge qui s'en va voir sa grand-maman pis d'la manger, mon enfant!!! Pis pas rien qu'elle, ben d'autres!

Ti-Gars

Ouan?

Paul

Ouan! La p'tite secrétaire de Gendron ou ben
la fille qui annonce le Neet ou ben la blonde de mon
garçon, pis toutes les p'tites pas possibles qui tour-
nent autour de Claude Quenville, t'en as en vin-
yenne pour ta grosse dent.

Ti-Gars

Ouan.

Paul

J'sais pas, y en a p't-ête une là-d'dans qui m'agacerait avec son printemps, une qui m'laisserait r'commencer mon été, ça s'pourrait ça t'sais, hein?

Ti-Gars hausse encore ses épaules.

Paul

Marie, ma colombe, ma chatte, ma lionne, ma femme, j'l'ai jamais trichée, excepté par la pensée. On peut toujours ben pas empêcher un homme d'avoir des idées, un homme normal, t'sais?

Ti-Gars

Ouan.

Paul

C'est pas que je l'aime pas, je l'aime! C'est ben pour ça qu'ça me r'vire à l'envers d'la voir se crisser 'a tête la première dans l'hiver, quand ça s'rait l'temps qu'on prenne ça tranquillement tou'é deux, c'est pas défendu d'avoir du fun en automne, hein?

Ti-Gars

Ouan.

Marie

Ah! maman. À c't'heure qu'la maison s'est vidée des enfants, à c't'heure que Paul pis moé on a plusse de temps, me semble que j'pourrais donc ête heureuse! Que c'est qui m'prend, m'man? C'est-tu quand une femme est pus ni pondeuse, ni couveuse, ni éleveuse, c'est-tu dans c'temps-là qu'a' fait une dépression nerveuse?

Paul

Veux-tu ben m'dire pourquoi tant d'femmes à c't âge-là font des dépressions? C'est-tu ben vrai l'histoire d'la prison? Pis qu'tous les hommes sont des gros garçons qui tètent le biberon pendant les quatre saisons d'l'eu' vie? Même qu'y paraît qu'i vient un temps qu'instinctivement on appelle not' femme moman? Hein?

Ti-Gars

Je l'sais pas.

Marie

J'traîne un automne qui m'pèse une tonne! Amène-moé donc dans ton hiver!

Mère

Change pour change, çartain ma catin!

Marie

J'ai des goûts pas catholiques d'hiver! J'en-dur'rais l'frette sans broncher...

Mère

Veux, veux pas, tu bronches pas.

Marie

Pis là, Paul pis moé, on s'berc'rait en s'parlant d'notre été, pour nous réchauffer. Hein moman?

Paul

T'es pas jasant, jasant, hein?

Ti-Gars refait un haussement d'épaules.

Paul

C'est vrai qu'ça te r'garde pas ces histoires-là. J'te connais même pas pis j't'ai raconté ma vie. C'est parce que ça, c'est des affaires qu'on peut dire, ou ben à un pur étranger, ou ben à sa mère. Vu qu'ma mère est morte... Pis en même temps, j'te dis ça pour que tu profites de mon expérience. Veux-tu une autre bière?

Ti-Gars

Non marci, j'm'en vas. (*Ti-Gars se lève.*)

Paul

En tout cas, marie-toé pas!

Ti-Gars

Trop tard!

Paul

Ah, t'es t'en plein été?

Ti-Gars

Ouan, beau et chaud!

Paul

Comme ça, ç'a dû t'passer six pieds par-dessus 'a tête c'que j't'ai dit?

Ti-Gars

Cool...

Paul

Cool, ouan, ouan, j'sais pas, c't à peu près toute, hein?

Ti-Gars

Pousse pas bonhomme!

Paul

Prépare ton automne, Ti-Gars, s'tu veux pas sauter une saison!

Ti-Gars

Salut!

Paul *le retient*

Vas-tu y penser, Ti-Gars?

Ti-Gars

Écoute man, le monde de ta génération sont fuckés noir, pis l'histoire qu'tu viens d'me raconter là, c'est 'a même histoire que celle de mon père pis d'ma mère.

Paul

Écoute-moé ben, mon p'tit frappé, on est en automne Marie pis moé, mais les feuilles sont pas toutes tombées, pis j't'apprends rien quand j'te dis qu'les pommes sont ben meilleures en automne qu'en été.

Ti-Gars

Salut! (*Il sort.*)

Paul

Va donc chier! (*Il chante:*)

Y aura pas d'pommes c't'année,
Y aura pas d'pommes c't'année,
L'hiver les a mangées,
Y aura pas d'pommes c't'année.

Paul se déplace en chantant et rejoint Marie, qui est arrivée au milieu de la scène, de profil

151

au public. Ils se fixent sans se voir. La vieille avance doucement sa berceuse; les deux personnages derrière elle disparaissent, dès que l'éclairage l'isole.

LA VIEILLE

Seigneur, Seigneur Dieu, si vieillesse pouvait, bonne Sainte Vierge oui! Si vieillesse pouvait vous dire une chose, rien qu'une fois, pis qu'on l'écoute!

C'est curieux en grand qu'aussi loin que j'brasse pis que je r'sasse mes souvenirs, y a rien qui valait la peine de brailler, pis de m'lamenter aux saints du ciel. Grand Dieu! j'ai perdu des enfants, pis mon mari, pis j'en ai r'sué un coup au-dessus d'la terre, pis au-dessus d'ma planche à laver, pis au-dessus d'la vie! Seigneur, Seigneur Dieu, c'est-y possible, c'est-y possible d'avoir autant le goût d'vivre pis de vivre? Moé, qui a tant braillé su' a vie pis ses grandes misères, me v'là à quat' pattes devant, à six pouces d'la mort, à prier la sainte vie de m'faire toffer encôre une escousse, pis j'braille mes yeux, à chaque fois que j'vois l'soleil se l'ver, pis j'prie quand je l'vois s'coucher, j'prie de pas m'coucher pour la dernière fois avec lui!

Y pensent que parce que j'tiens un chapelet ente les mains que la mort va ête douce au bout des grains. Y pensent que parce que j'ai connu les hivers, la maladie, l'amour, la gigue à deux, pis les sou'iers d'bœuf, que j'en ai assez connu, qu'c'est l'temps d'cogner mon grand somme, qu'c'est l'temps que j'm'assoupisse, que j'dorme! Démons! Si vieillesse pouvait dire qu'y a rien de grave sinon que d'vieillir; la carcasse qui s'use. J'ai un portrait d'moé dans ma chambre, quand j'avais vingt ans. Boutique du yâbe! c'est pas créyabe! c'te peau lisse! Si vieillesse pouvait vous dire qu'y a rien d'grave, sinon d'savoir qu'on va mourir.

Pis y a pas une peine de cœur, y a pas une guerre, y a pas une ride de plusse, y a pas rien, rien en toute qui va m'arracher l'idée que j'ai que si l'homme est rendu qu'y va su'a Lune, y peut m'garder encôre longtemps su'a terre. J'aime pas qu'on fasse des rimettes avec sagesse pis vieillesse, j'me sens plus folle qu'le balai. C'est effrayant comme toutes les plaies d'ma vie, j'les vois comme des p'tits bobos. Pis toutes les grandes joies qu'j'ai eues, j'vois qu'j'en ai pas encore assez eu, qu'y m'en manque un char pis une barge! Pis qu'à c'te heure que ch'sus rendue au large de ma vie, faudrait pas que j'me nèye comme un p'tit poulet, qu'y faudrait que j'surnage, parce qu'à c'te heure, je l'sais que c'est qui est grave, pis que c'est qui l'est pas.

Quand vous vous barc'rez en plein hiver, que vous aurez d'la neige au-dessus d'la tête pour parler comme les poètes, vous viendrez en donner des nouvelles à mémère. Vous viendrez m'dire si vous avez hâte d'aller coucher vot' carcasse au cim'tière! Vous allez vous apercevoir qu'vous pourrez ben vous passer de t'ça! Ah! j'ai p't-ête des idées ben autrement qu'les aut' vieux, mais j'ai pas hâte qu'les vers viennent me grignoter les côtes!

Non, non, non, ça c'est pas des pensées trisses, c'est ça qu'est ça, pis c'est ça qui est trisse. Tout d'un coup qu'on s'rait faite pour vivre, pas pour mourir! Ça s'rait pas si bête... Si vieillesse pouvait vous dire qu'y a qué' chose de pas correcque, qu'on meurt toujours trop jeune; pis qu' jusse comme l'alouette pourrait s'mette à chanter, on la pleume.

Ah! m'as vous dire, m'as vous dire franche-ment, c'est la télévision qui nous rend fous d'même. Ah! ça... ça troube, ça troube ça. Moé, là, y a un programme qui m'est resté collé là comme une ta-che. Ce programme-là, je l'ai là, pis j'en parle à tout l'monde de t'ça. Tout vieux aime à radoter, hein? C'fait que j'les lâche pas avec ça. Ben écoutez, le gars y disait à T.V., là, que ben vite l'homme va pouvoir, par ses propres moyens scientifiques, là, changer un cœur qui marche pus, changer un foie qui marche pus, un rein qui marche pus! Quand t'es rendue que t'as pus rien qui marche, ça brasse le canayen d'entende des affaires de même! Ben moé, j'ai pas dormi c'te nuite-là, le cœur m'a dansé la claquette toute la nuite. J'pensais d'mourir...

Marie, ma fille, a' m'disait: «Ben voyons donc, moman, faites pas l'enfant, c'est pas pour tu'suite ces miracles-là!». Ouais, c'est jusse si a' m'disait pas qu'j'avais l'temps d'mourir cinquante fois avant qu'ça arrive! Des fois y réalisent pas que c'est qu'y nous disent, hein? Mais, moé, j'prie pour qu'ça arrive en tout cas. J'ai composé une complainte là-d'sus, pour le fun, pour les amuser, pour passer l'temps, pour tuer l'temps... avant qu'y me tue l'sarpida! Ça s'appelle: «La complainte d'la vieille qui plie mais qui veut pas casser.»

COMPLAINTE DE LA VIEILLE QUI PLIE
MAIS QUI VEUT PAS CASSER.

REFRAIN

Noël prochain, Noël prochain,
Chers parents, chers voésins
Voilà, voilà les beaux cadeaux que j'voudrais voir
Au pied du grand sapin.

COUPLET

Toé, Ti-Paul, mon gendre si généreux,
Au lieu de m'donner comme c'est ton habitude,
Au lieu de m'donner des peignes pour mes ch'veux,

Tu m'f'rais plaisir si tu m'ach'tais
Une paire de-z-yeux.
Si possible donne-moé-z-en deux !

Pis toé, Marie ma fille, qui prend soin d'sa mère
Qui prend soin d'la vieille,
Au lieu d'me donner comme c'est ton habitude,
Au lieu d'me donner un châle pour me garder
a' chaleur,
Tu m'f'rais plaisir si tu m'ach'tais un nouveau
cœur,
Une nouvelle pétaque qui gard'rait l'heure !
Pis toé, mon p'tit Benoît,
Donne à mémére un nouveau foie.
Pis ton p'tit frère Simon
F'rait donc plaisir à mémére
Si y ach'tait une paire de poumons.
Si possibe qu'y m'en donne deux !
Comme ça j'pourrais chanter longtemps
Les chansons du bon vieux temps.
Tu diras à ta p'tite sœur Monique
Qu'a' m'achète une bouteille de remède
Qui guérirait mon arthrite.

Pis toé, Raoul, à chaque Noël
Tu donnes toujours des chocolats pis des can-
dés,
Achète-moé donc une paire de reins pis une
vessie.

Pis toé, mon vieux Hubald,
Qui m'achète des p'lotes de laine en balle,

Achète-moé donc une colonne vertébrale!
Pis dis à ton frère Omer
Qu'y m'achète des nerfs tous neu's
Au lieu d'm'ach'ter des cadres du frère André
bordés en bleu.

Elle se lève.

Pis pour moé, l'plus beau cadeau,
Celui qui s'rait le gros lot,
Si vous vouliez vous donner l'mot
Pour changer ma vieille peau.
Si mémére faisait peau neuve,
Comme la couleuve
Un set de pieds, un set de mains,
Mémére a' s'rait belle, mémére s'rait dérouillée,
Mémére s'f'rait pas prier
Quand que ses p'tits enfants y chanteraient :
«*Voulez-vous valser Grand'mère?*
Voulez-vous valser Grand'mère?»

REFRAIN

Noël prochain, Noël prochain,
Chers parents, chers voésins,
Voilà, voilà, les beaux cadeaux que j'voudrais
voir
Au pied du grand sapin.

BEAU TEMPS POUR LA VÉRITÉ

LES ENFANTS DE LA FIN

Chanson de la fin, tous les comédiens sont en scène.

Tous

La vie c'est un message publicitaire,
Sentez, voyez, touchez, mangez, écoutez!
La vie, c'est un message publicitaire,
Ach'tez, ach'tez, ach'tez,
Oui, mais quel prix qu'y faut payer?

COUPLET I

Tous

Les preuves sont faites,
Les preuves sont faites,

Un

Les enfants sont des poètes;
Faire des enfants c'est d'l'avancement.

Tous

Les preuves sont faites,
Les preuves sont faites.

Un

Les enfants sont des caresses,
Mais les enfants meurent en cherchant,
Meurent sans avoir trouvé le temps.

COUPLET II

Tous

Attention les sages et les fous,

Un

Ce message s'adresse à vous:
Le bonheur est un grand trou.

Tous

Attention les sages et les fous,

Un

Un trou béant comme un cratère
Sur un volcan appelé Terre
Où tout brûle à l'éphémère.

COUPLET III

Tous

Sam prend quoi?
Sam prend,
Sam prend quoi?

Un

Sam prend ma bière pis «ma job»,
Sam prend un dieu, des microbes.

Tous

Sam prend quoi?
Sam prend,
Sam prend quoi?
Sam prend amour et amis.

Un

Sam prend pays, musique, enfants,
Sam prend surtout du changement!

COUPLET IV

Tous

Ouvres-z-en une pour voir,
Ouvres-z-en une pour voir,

Un

Ouvre une porte sur l'espoir,
Pus de joujoux nucléaires.

Tous

Ouvres-z-en une pour voir,
Ouvres-z-en une pour voir,

Un

Tu l'sais qu'un jour y va faire clair,
Ouvre une bouteille d'éternité,
Pélo pis moé, on va s'saouler!

COUPLET V

Tous

L'as-tu ton matin?
L'as-tu ton matin?

Un

Le matin sans peur, sans bruit,
Celui du soleil de minuit

Tous

L'as-tu ton matin?
L'as-tu ton matin?

Un

Ton matin des magiciens,
Pus besoin d'fumer ton joint,
Le bonheur s'épelle enfin.

COUPLET VI

Tous

Regardez et regardez bien!

Un

L'arc-en-ciel qui s'en vient ;
Nous sommes les enfants de la fin.

Tous

Regardez et regardez bien !

Un

C'est maintenant que commence
Le temps de nos délivrances,
L'heure où la peur entre en transe.

REFRAIN FINAL

Tous

La vie c'est un message publicitaire.

Un

Dis-moé qu'y fait beau.

Tous

Sentez, voyez, touchez, mangez, écoutez.

Un

Dis-moé qu'y fait chaud.

Tous

Ouvres-z-en une pour voir,

Un

La vie vaut la peine d'être vécue...

Tous

Ouvre une bouteille d'éternité.

Un

Ô, dites-moi la vérité!

Tous

La terre est sale et tachée,

Un

Oui, mais...

Tous

La terre est triste, encrassée,

Un

Oui, mais...

Tous

La terre est impure et crottée,

Un

Oui, mais... Oui, mais...

Tous

Mais y fait beau temps pour laver!
Y fait beau temps pour laver,
Y fait beau temps pour laver,
Y fait ben beau temps pour la vérité.
Oh Yé!

Un

Dis-moé qu'y fait beau, Méo!

FIN

TABLE

Collection THÉÂTRE LEMÉAC

1. *Zone* de Marcel Dubé, 1968, 187 p.
2. *Hier, les enfants dansaient* de Gratien Gélinas, 1968, 159 p.
3. *Les Beaux Dimanches* de Marcel Dubé, 1968, 189 p.
4. *Bilan* de Marcel Dubé, 1968 et 1978, 185 p.
5. *Le Marcheur* d'Yves Thériault, 1968, 111 p.
6. *Pauvre Amour* de Marcel Dubé, 1969, 161 p.
7. *Le Temps des lilas* de Marcel Dubé, 1969, 179 p.
8. *Les Traitants* de Guy Dufresne, 1969, 177 p.
9. *Le Cri de l'engoulevent* de Guy Dufresne, 1969, 141 p.
10. *Au retour des oies blanches* de Marcel Dubé, 1969, 189 p.
11. *Double jeu* de Françoise Loranger, 1969, 213 p.
12. *Le Pendu* de Robert Gurik, 1970, 109 p.
13. *Le Chemin du Roy* de Claude Levac et Françoise Loranger, 1969, 135 p.
14. *Un matin comme les autres* de Marcel Dubé, 1971, 183 p.
15. *Fredange* suivi des *Terres neuves* d'Yves Thériault, 1970, 147 p.
16. *Florence* de Marcel Dubé, 1970, 153 p.
17. *Le Coup de l'étrier* et *Avant de t'en aller* de Marcel Dubé, 1970, 127 p.
18. *Médium saignant* de Françoise Loranger, 1970, 139 p.
19. *Un bateau que Dieu sait qui avait monté et qui flottait comme il pouvait, c'est-à-dire mal* d'Alain Pontaut, 1970, 107 p.

20. *Api 2967* et *la Palissade* de Robert Gurik, 1971, 149 p.
21. *À toi, pour toujours, ta Marie-Lou* de Michel Tremblay, 1971, 94 p.
22. *Le Naufragé* de Marcel Dubé, 1971, 133 p.
23. *Trois Partitions* de Jacques Brault, 1972, 195 p.
24. *Diguidi, diguidi, ha! ha! ha!* et *Si les Samsoucis s'en soucient, ces Sansoucis-ci s'en soucieront-ils? Bien parler c'est se respecter!* de Jean-Claude Germain, 1972, 195 p.
25. *Manon Lastcall* et *Joualez-moi d'amour* de Jean Barbeau, 1972, 98 p.
26. *Les Belles-Sœurs* de Michel Tremblay, 1972, 156 p.
27. *Médée* de Marcel Dubé, 1973, 124 p.
28. *La Vie exemplaire d'Alcide 1 er , le Pharamineux, et de sa proche descendance* d'André Ricard, 1973, 174 p.
29. *De l'autre côté du mur* suivi de cinq courtes pièces de Marcel Dubé, 1973, 215 p.
30. *La Discrétion, la Neige, le Trajet* et *les Protagonistes* de Naïm Kattan, 1974, 137 p.
31. *Félix Poutré* de L.-H. Fréchette, 1974, 135 p.
32. *Le Retour de l'exilé* de L.-H. Fréchette, 1974, 111 p.
33. *Papineau* de L.-H. Fréchette, 1974, 155 p.
34. *Veronica* de L.-H. Fréchette, 1974, 133 p.
35. *Si les Canadiennes le voulaient!* et *Aux jours de Maisonneuve* de Laure Conan, 1974, 159 p.
36. *Cérémonial funèbre sur le corps de Jean-Olivier Chénier* de Jean-Robert Rémillard, 1974, 118 p.
37. *Virginie* de Marcel Dubé, 1974, 157 p.
38. *Le Temps d'une vie* de Roland Lepage, 1974, 153 p.

39. *Sous le signe d'Augusta* de Robert Choquette, 1974, 135 p.
40. *L'Impromptu de Québec ou le Testament* de Marcel Dubé, 1974, 195 p.
41. *Bonjour là, bonjour* de Michel Tremblay, 1974, 107 p.
42. *Une brosse* de Jean Barbeau, 1975, 113 p.
43. *L'été s'appelle Julie* de Marcel Dubé, 1975, 147 p.
44. *Une soirée en octobre* d'André Major, 1975, 91 p.
45. *Le Grand Jeu rouge* d'Alain Pontaut, 1975, 133 p.
46. *La Gloire des filles à Magloire* d'André Ricard, 1975, 151 p.
47. *Lénine* de Robert Gurik, 1975, 114 p.
48. *Le Quadrillé* de Jacques Duchesne, 1975, 185 p.
49. *Ce maudit Lardier* de Guy Dufresne, 1975, 167 p.
50. *Évangéline Deusse* d'Antonine Maillet, 1975, 109 p.
51. *Septième Ciel* de François Beaulieu, 1976, 107 p.
52. *Les Vicissitudes de Rosa* de Roger Dumas, 1976, 119 p.
53. *Je m'en vais à Regina* de Roger Auger, 1976, 83 p.
54. *Les Héros de mon enfance* de Michel Tremblay, 1976, 103 p.
55. *Dites-le avec des fleurs* de Jean Barbeau et Marcel Dubé, 1976, 125 p.
56. *Cinq pièces en un acte* d'André Simard, 1976, 147 p.

57. *Sainte Carmen de la Main* de Michel Tremblay, 1976, 83 p.

58. *Ines Pérée et Inat Tendu* de Réjean Ducharme, 1976, 122 p.

59. *Gapi* d'Antonine Maillet, 1976, 101 p.

60. *Les Passeuses* de Pierre Morency, 1976, 127 p.

61. *Le Réformiste ou l'Honneur des hommes* de Marcel Dubé, 1977, 143 p.

62. *Damnée Manon, sacrée Sandra* et *Surprise! Surprise!* de Michel Tremblay, 1977, 118 p.

63. *Qui est le père?* de Félix Leclerc, 1977, 122 p.

64. *Octobre* de Marcel Dubé, 1977, 81 p.

65. *Joseph-Philémon Sanschagrin, ministre* de Bertrand B. Leblanc, 1977, 105 p.

66. *Dernier Recours de Baptiste à Catherine* de Michèle Lalonde, 1977, 137 p.

67. *Le Champion* de Robert Gurik, 1977, 76 p.

68. *Le Chemin de Lacroix* et *Goglu* de Jean Barbeau, 1977, 119 p.

69. *La Veuve enragée* d'Antonine Maillet, 1977, 171 p.

70. *Hamlet, prince du Québec* de Robert Gurik, 1977, 145 p.

71. *Le Casino voleur* d'André Ricard, 1978, 165 p.

72-73-74. *Anthologie thématique du théâtre québécois au XIXᵉ siècle* d'Étienne-F. Duval, 1978, 458 p.

75. *La Baie des Jacques* de Robert Gurik, 1978, 157 p.

76. *Les Lois de la pesanteur* de Pierre Goulet, 1978, 181 p.

77. *Kamikwakushit* de Marc Doré, 1978, 128 p.

78. *Le Bourgeois gentleman* d'Antonine Maillet, 1978, 185 p.

79. *Le Théâtre de la maintenance* de Jean Barbeau, 1979, 103 p.
80. *Le Jardin de la maison blanche* de Jean Barbeau, 1979, 129 p.
81. *Une marquise de Sade et un lézard nommé King-Kong* de Jean Barbeau, 1979, 93 p.
82. *Émile et une nuit* de Jean Barbeau, 1979, 95 p.
83. *La Rose rôtie* de Jean Herbiet, 1979, 129 p.
84. *Eh! qu'mon chum est platte!* d'André Boulanger et Sylvie Prégent, 1979, 87 p.
85. *Le veau dort* de Claude Jasmin, 1979, 121 p.
86. *L'Impromptu d'Outremont* de Michel Tremblay, 1980, 115 p.
87. *Rêve d'une nuit d'hôpital* de Normand Chaurette, 1980, 102 p.
88. *Panique à Longueuil* de René-Daniel Dubois, 1980, 121 p.
89. *Une amie d'enfance* de Louise Roy et Louis Saia, 1980, 127 p.
90. *La Trousse* de Louis-Marie Dansereau, 1981, 117 p.
91. *Les vaches sont de braves types* suivi de trois courtes pièces de Jean Gagnon, 1981, 139 p.
92. *Isabelle* de Pierre Dagenais, 1981, 113 p.
93. *Faut divorcer!* de Bertrand B. Leblanc, 1981, 105 p.
94. *Du sang bleu dans les veines* de Georges Dor, 1981, 149 p.
95. *La contrebandière* d'Antonine Maillet, 1981, 171 p.
96. *Bachelor* de Louise Roy, Louis Saia et avec la participation de Michel Rivard, 1981, 82 p.
97. *Le fleuve au cœur* de Danielle Bissonnette, Léo Munger, Manon Vallée, 1981, 109 p.

98. *Ti-Cul Lavoie* de Bertrand B. Leblanc, 1981, 88 p.

99. *Chez Paul-ette, bière, vin, liqueur et nouveautés* de Louis-Marie Dansereau, 1981, 133 p.

100-101. *Vie et mort du Roi Boiteux*, t. 1 de Jean-Pierre Ronfard, 1981, 207 p.

102-103. *Vie et mort du Roi Boiteux*, t. 2 de Jean-Pierre Ronfard, 1981, 307 p.

104. *J'ai beaucoup changé depuis...* de Jocelyne Beaulieu, 1981, 115 p.

105. *Provincetown Playhouse, juillet 1919, j'avais dix-neuf ans* de Normand Chaurette,1981,125 p.

106. *Les Anciennes Odeurs* de Michel Tremblay, 1981, 93 p.

107. *Appelez-moi Stéphane* de Claude Meunier et Louis Saia, 1981, 136 p.

108. *Les Voisins* de Claude Meunier et Louis Saia, 1981, 191 p.

109. *Les Trois Grâces* de Francine Ruel, 1982, 97 p.

110. *Adieu, docteur Münch* de René-Daniel Dubois, 1982, 99 p.

111. *Ma maudite main gauche veut pus suivre* de Louis-Marie Dansereau, 1982, 89 p.

112. *Fêtes d'Automne* de Normand Chaurette, 1982, 129 p.

113. *Les Moineau chez les Pinson* de Georges Dor, 1982, 181 p.

114. *Oh! Gerry Oh!* de Jacqueline Barrette, 1982, 131 p.

115. *La mandragore* de Jean-Pierre Ronfard, 1982, 163 p.

116. *En pièces détachées* de Michel Tremblay, 1982, 93 p. (réédition)

117. *Citrouille* de Jean Barbeau, 1982, 101 p. (réédition)

118. *La société de Métis* de Normand Chaurette, 1983, 143 p.

119. *Le tir à blanc* de André Ricard, 1983, 148 p.

120. *Les drôlatiques, horrifiques et épouvantables aventures de Panurge, ami de Pantagruel* d'Antonine Maillet, 1983, 139 p.

ACHEVÉ D'IMPRIMER SUR
LES PRESSES DES ATELIERS
MARQUIS DE MONTMAGNY
LE 30 JUIN 1983 POUR
LES ÉDITIONS LEMÉAC INC.